GUANAJUATO
Tierra de Oportunidades

Vicente Fox Quesada
Gobernador Constitucional del Estado de Guanajuato

*E*n Guanajuato, los recorridos se hacen a pie, para llegar a sitios que nos remiten a la historia. Buscando entre sus callejones podemos encontrar escenas de realismo mágico que ya las quisiera García Márquez para sus novelas.

En lo profundo de la cañada, en la que está enclavada esta hermosa ciudad, la vida se desarrolla bulliciosa, ocultando historias, registrándolas, esperando el momento de rendirles el culto que se merecen.

En sus plazas y sus monumentos se perpetúan las glorias pasadas y se intuyen las que están por venir. En sus calles se puede leer la historia y se aprecia al México pujante que busca esperanzas y oportunidades.

Caminar por Guanajuato es montarnos en el pasado para comprender el presente y proyectar el futuro. Es una amalgama de tiempos, de intemporalidad, de espacios que nos llevan de lo sublime al regocijo.

Al ver y leer el libro *Guanajuato, Sitios y Recorridos*, sentí lo mismo que siento cuando camino por el Jardín Unión, la Plaza de la Paz, el recinto del congreso del Estado o la Basílica. En esta obra se captó la esencia de esta ciudad.

Hojeando sus páginas se hace un recorrido por su historia y es recordar la época de la conquista con sus bemoles y sus beneficios, la colonia con sus esplendores, la independencia con su dignidad. Es llegar a la época actual con las esperanzas de concretar los sueños de nuestros héroes, para consolidar la tierra de oportunidades de hoy.

Guanajuato, Sitios y Recorridos es a la Fotografía y a la arquitectura lo que *Caminos de Guanajuato*, de José Alfredo Jiménez, es a la música: copia fiel de un pedacito de nuestra patria.

Es un poema captado por la lente y aderezado con pizcas de historia que nos dejan la sensación de plenitud.

GRUPO EDITORIAL PROYECCION DE MEXICO, S.A. DE C.V.

Consuelo Tovar
Directora General

Mercedes Tovar
Directora Editorial

Lizbeth Domínguez
Directora Relaciones Públicas

Isauro Rionda Arreguín
Investigación y Texto

Rosa Eugenia Báez
Investigación y Redacción

José Luis Oseguera
Diseño Gráfico

Héctor Hernández
Guayo Eduardo Rangel
Javier Zamora
Julio Reza Díaz
Rodolfo Méndez González
Producción Fotográfica

Impresión:
Offset Multicolor, S.A. de C.V.

Encuadernación:
Encuadernadora Mexicana, S.A. de C.V.

Contenido

Prólogo

El vapor de la tarde empieza a fundirse en la precipitación de la sombra; la cinta de asfalto circunscribe los accidentes del paisaje montañoso; van quedando atrás los fértiles valles y los ricos sembradíos; conforme se avanza, la naturaleza se despoja y el paisaje se ensombrece entre el perfil de la sierra y la seca geología formada por vertientes de torrenteras y duros peñascos metálicos. Las primeras luces nocturnas nos encuentran al margen del camino: muros pétreos calcinados y conjuntos de ruinas atraen la curiosidad y el comentario... se aproxima Guanajuato.

Despojos ruinosos de haciendas de beneficio, restos de norias, polvorines, molinos y chimeneas se recortan en Marfil; al fondo de la cañada sorprende descubrir los cuidados jardines y las ruinas organizadas de San Gabriel de Barrera. La anécdota se entreteje al dato histórico y éste se transforma en leyenda. Todo parece distinto en este rincón del país; todo confluye a adquirir la dimensión irreal, el sustrato del sueño.

Pronto, éste se transforma en amplia explanada; la estricta ordenación de los jardines, las manchas cúbicas de las casas trepadoras de cerros, el amplio abrazo de los muros y los taludes de retención de las terrazas. El silencio propiciado por la noche nos obliga a la primera escala... al fondo las fuentes iluminadas entablan en el silencio el diálogo permanente y emocionado del primer encuentro con Guanajuato.

Seguimos adelante; nuestra perspectiva se angosta paulatinamente; conforme nuestros pasos avanzan los muros ascienden, los arcos transversales se suceden e iniciamos una penetración subterránea, mágica y recogida en la estereotomía de curvas y rectas, de espacios abovedados y zonas abiertas a la contemplación del cielo, al disfrute del aire.

Recorremos el lecho del viejo Río Guanajuato; la ciudad lo traspasa y lo intersecta; eleva sus niveles protegiéndose de las cuantiosas corrientes que en ocasiones le causaron la ruina y la muerte. La tecnología contemporánea ha resuelto esos problemas, creando sobre el nivel de la canalización suberránea, una caprichosa vía de comunicación. Afloramos nuevamente al nivel de la ciudad por la rampa que flanquea el templo de San Diego, único vestigio que resta del gran convento que fuera demolido a fines del pasado siglo para construir la enorme masa pétrea del Teatro Juárez.

Ambos edificios cierran la perspectiva trapezoidal del Jardín de la Unión; la escala opuesta y contrastada de ambas fachadas nos crea un cierto desconcierto. La iglesia posee una de las más delicadas portadas del último barroco, encuadrada por las masas de las torres laterales; brilla en la intensidad de su iluminación nocturna en el caprichoso revoloteo de las curvas y contracurvas, molduraciones, nichos, consolas ornamentadas y palpitantes esculturas.

La plaza se apiña entre las casas que la delimitan más a una escala de salón que de espacio urbano. Del kiosco irradia la música de banda municipal en marchas y pasacalles, la juventud transita alrededor, mientras los viejos contemplan el paseo desde las porfirianas bancas metálicas de la periferia o desde las mesas de los cafés. Este es el corazón vivo de la ciudad; el centro de todas las citas y el foco del que parten todas las noticias; el lugar del obligado encuentro bajo los adormecidos laureles.

Iniciamos el recorrido por la arteria principal; de ésta parten en vertiginosa ascención los callejones que trepan a los cerros; cada rincón ofrece un nuevo espectáculo; dejando el Teatro Juárez, sus pórticos toscanos, sus esculturas de antimonio, sus "Floyers belle époque" y su sala morisca, la calle de Sopeña desemboca en la plaza de San Francisco –más ampliación de calle que plaza configurada como tal– en la que destaca la interesantísima fachada churrigueresca del templo del mismo nombre y las desconcertantes proporciones neoclásicas de la capilla de Santa Casa.

Vamos advirtiendo, a medida que nuestro recorrido se consuma, que no son tanto los edificios coloniales los que dan la tónica urbana a Guanajuato. Ciertamente, importantes vestigios de los Siglos XVII y XVIII se nos manifiestan en ejemplos de arquitectura civil o religiosa; sin embargo, el último periodo del gran auge minero de fines del pasado siglo y la plasmación del neoclásico del último tercio del XVIII y primero del XIX, nos han legado más una fisonomía clásica que barroca; sin embargo, dicha arquitectura al manifestar una vida que casi no había sido transformada en sus aspectos externos desde la época de la Colonia, sigue construyendo –para albergarla– edificios de parecidas proporciones, similar sentido espacial y distributivo, mismos procedimientos de ejecución e idénticos materiales de construcción.

Ciudad de niveles vertiginosos, de jardines colgantes, de rinconadas imprevistas, estrechas calles y minúsculos callejones, Guanajuato se apiña y fragmenta en la utilización máxima del espacio mínimo. Ni un solo patio con las amplias proporciones del tradicional típico; elevación en sucesivos niveles, escasez de espacios cubiertos, dan a sus interiores una recogida penumbra y contrastado claroscuro que nos hacen sentir en un lugar lejano del Centro, extraño, inquietantemente diferente. Al no encontrar la vista distensión en jardines ni amplitud de asoleamiento, el contacto con la calle se produce como algo necesario; de ahí la importancia primordial que representan los balcones en la vida guanajuatense; las forjas en hierro –caligrafía encuadrada en el estricto límite– vienen a ser un "leit motiv" que al través de las épocas se siguen sucediendo en la planimetría de las fachadas.

Los materiales en los que ha sido construida la ciudad son: el conglomerado rojizo de profunda tonalidad, la blanda y noble cantera rosa en la que se esculpen portadas, cornisas y molduras, y la rosa estratificada –usada principalmente a fines de siglo– de verdes tonalidades, apta para pavimentos, escalinatas y chapeos; junto a estos nobles materiales, los rellenos se realizan en la pobreza e inconsistencia del adobe y el tabique escaso; gran parte de su ruina, es debida a la falta de adhesión y la relativa durabilidad de estos materiales.

La mayor parte de sus fachadas delineadas en piedra, son recubiertas en aplanados de cal y arena, luego pintados en rica gama tonal, entre las que sobresalen los ocres y los tonos quemados de las tierras.

Pronto nuestra atención se desvía, desde la magia de los escenarios, hasta el espectáculo humano que nos adelanta o nos cruza en el camino; la peraltada escalinata nos arroja en la Plazuela de Mexiamora –nos han ofrecido el espectáculo del Teatro Universitario–. Una animada concurrencia se entrecruza sonrisas y comentarios llenando el espacio abierto o despreocupadamente toma asiento en las graderías; bajo los fresnos, junto al brocal del amplio espejo, entre los grupos de los espectadores o en el interior de las casas, lo actores se desplazan o desaparecen en trajes de época; las luces y los elementos de utilería, asnos y caballos mansamente adormilados, repentinamente despiertos e irritados... gritos, movimientos. Orden y silencio finalmente restablecidos. –La función comienza–. Nueva y distinta dimensión posee esta plazuela; ningún monumento sobresaliente; casas bajas de factura popular; callejones que ascienden por un lado, perspectivas que declinan en rampas y escalinatas imprevistas, por el otro; el aire aleja las voces y apaga la música, mueve los ropajes de los actores y estabiliza entre mantas y abrigos a los espectadores; lejos suena a muerto una campana; de una cantina próxima llegan los lamentos de una canción-tragedia. El cerro que recorta el paisaje, refleja en su sombría silueta los brillos rutilantes de las estrellas.

El nacimiento del día siguiente nos encuentra camino de los viejos minerales; hemos preferido hacer el recorrido a pie, siguiendo los trazos de viejos caminos de herradura; levantando menudas polvaredas, los arrieros cruzan nuestra penosa ascención llevando a lomo de burro leche fresca, carbón, delgada leña de comal o tierra fértil de hoja de encino de la sierra. Llegamos a Guadalupe; el espectáculo desde ahí contemplado compensa con amplitud nuestro esfuerzo; empiezan a esfumarse las nieblas nocturnas; la proyección horizontal de las sombras aún cobija manchas obscuras que resguardan el rocío palpitante y helado; los valles se van sucediendo hasta el infinito abiertos en una perspectiva inabarcable, en la que se va fundiendo conforme la luz asciende, la paleta de grisallas hasta encontrar el tono real, el valor del reflejo, el azul etéreo de las capas atmosféricas superpuestas.

Bajo nuestros pies, los muros de contención de escala ciclópea retenidos por inabarcables contrafuertes, dan contrapunto humano al gigantesco encuadre natural.

Descendemos a Valenciana y al dramático espectáculo de una ciudad parcialmente arruinada; en la cima se yergue la orgullosa silueta de la parroquia fundada por el Conde de Valenciana en agradecimiento a la plata y oro recuperados a la mina. Su encarnada arquitectura –más labor de retablista que de cantero por su finura– a esta hora del día adquiere un dibujo plano, casi sin resaltes; un grafismo nervioso y vibrante al que sólo encontraremos paralelo en Cata o en la vieja fachada de Rayas hoy remontada en la Iglesia de Pardo en Guanajuato. En la nave, la selva palpitante de oro y policromía de los retablos brilla en mil iridisaciones; ángeles revoltosos estatizados por encantamiento soportan las mil exuberancias de nuestro último barroco. Salimos; reconfortante es la visita a las antiguas dependencias de la Iglesia, edificadas para alojar un hospital de mineros silicosos que nunca llegó a funcionar. Rescatado de su ruina casi total, la Universidad lo ha restaurado para una dependencia de estudios superiores. La belleza de sus patios, los aljibes transformados en auditorios, la seriedad y enorme propiedad de los espacios, nos hacen pensar en lo que representaría –en contenido emotivo–, nuestros ruinosos edificios transformados en centros vivos, ámbitos de irradiación de la esencia y ser de la cultura en México.

Cata y Mellado vuelven a sorprendernos en sus mágicos escenarios; en aquella, la milagrosa imagen sigue atrayendo –apenas perceptible en la penumbra de los exvotos y los reflejos de los cirios– al doliente y al agradecido. Retornamos nuestros pasos para alcanzar, al despertar de las actividades, un día –ciclo de la vida ciudadana.

Nuevamente nos internamos en el laberinto de calles, plazas, callejones y perspectivas imprevistas; las amas de casa abren sus balcones a saludar al sol, al aire y al vecindario que perezosamente se remueve en sus interiores; las calles son barridas por un sinnúmero de viejecitas encorvadas, secas e idénticas, idénticas en su proyección hacia el suelo. Los estudiantes corren al examen y las primeras tiendas descorren sus cerrojos y entreabren sus maderas... En las iglesias, desiertos oficios rompen la sombra de recargados y pobres retablos, habitados de santos olvidados y polvosos; la semienterrada iglesia de Belén, frente a un rotundo mercado de pórtico gigante... Las zonas comerciales nos ofrecen el inédito espectáculo de la ausencia total de propaganda comercial que desfigura el aspecto de la mayoría de nuestras ciudades; el crédito comercial en recuadros idénticos, no altera en nada el conjunto.

Desembarcamos en la Plaza de la Paz; el Palacio de Gobierno se acoda con su orden gigante de fin de siglo, a la rosada perfección clásica del Palacio de Casa Rul –muestra sorprendente de la calidad, mesura y perfección que alcanzó la arquitectura guanajuatense al finalizar la Colonia–. Las casas más nobles se agrupan en este enorme espacio triangular; la casa del conde de Gálvez, la de los marqueses de San Clemente, la de los Chico Goerne, el Palacete de los Alcázar...

Al fondo destaca imponente la Basílica con su fachada de torres dispares de dos siglos; atesora en su interior una sacristía intacta (antiguo camarín), un hermoso retablo en el Sagrario y en el altar mayor la valiosa imagen de Nuestra Señora de Santa Fe de Guanajuato sobre su enorme peana de Plata.

Llegamos a la Iglesia de la Compañía de Jesús; la supresión de la escalinata, así como la presencia de rejas y árboles exóticos, reducen el espectáculo de su triple fachada, uno de los escenarios más sobrecogedores de la ciudad; su majestuoso interior, así como su gallarda cúpula del Siglo XIX, su interesantísima sacristía y valiosas pinturas dieciochescas la sitúan entre los monumentos cimeros de la arquitectura mexicana, hoy restaurada por un patronato formado por ilustres guanajuatenses.

Otras plazas vamos recorriendo a nuestro paso: San Roque con su capilla en diversos niveles y geométricas proporciones, el Jardín Morelos, la Plaza del Baratillo, alta y señorial organizada alrededor de su fuente de Delfines... La Plaza Allende, acierto de la remodelación actual de la ciudad, en la que el papel principal se ha otorgado al corte abrupto de la roca y la presencia monumental de las ruinas.

El paseo de la Presa de la Olla nos presenta el ingenuo espectáculo de los chalets y las villas porfirianas, la gran mole rosada de la Escuela Normal y al final, los diversos niveles de jardines y cortinas de agua de las presas de la Olla y de San Renovato; fin y principio de la cañada guanajuatense, rematada con la hermosa efigie en bronce del Padre de la Patria, obra del escultor italiano Alciati.

Ascendemos la carretera panorámica; bajo nosotros van quedando las manchas abigarradas de construcciones dispuestas alrededor de ejes, jardines y espacios libres; desde la terraza superior, se nos presenta la ciudad en un rápido golpe de vista. La cañada hiere la sierra, acumulando en su seno el dédalo arterial y el pulso vibrante de la vida; un amplio cinturón de ruinas periféricas nos hacen recordar la enorme población que alcanzó a poseer la ciudad en los años de bonanza minera. En diversos puntos, las masas imponentes de lo que resta de los minerales: Rayas, Sirenas, Guadalupe, Mellado, Cata, Valenciana, etc. Ciudad ilógicamente ubicada entre la avaricia agrícola del suelo, la incomodidad de sus circulaciones, la dureza geológica y la amenaza permanente de los torrentes.

Guanajuato entra en la iconografía de las ciudades que como Venecia, Dubrovnik, Toledo, Les Beaux, la riqueza de la extracción, la estrategia o el comercio impusieron un emplazamiento antinatural y absurdo, pero que debido a los mil artificios requeridos a su acomodación y logro, resultan ser centros de inagotable emoción estética, fuentes de invaluable y permanente elevación espiritual.

Terminanos nuestra visita con las aproximaciones al monumento nacional que más dice en la historia de América, ahí donde el orgullo colonialista sufrió la primera herida de muerte, ahí donde piedra y sangre forjaron nuestro destino como nación, nuestro orgullo como raza y nuestra proyección universal. La Alhóndiga de Granaditas se yergue señera desafiando el tiempo; su recia mole de piedra, delineada por la sobriedad estereotómica de sus trazos, presenta aún las huellas que dejara en las piedras estáticas de la sociedad vejatoria desmoronante, la piedra airada del pueblo en la demanda de sus derechos esenciales...

Dejamos Guanajuato con desazón, al encuentro de un ritmo cotidiano que nos alejara de la emoción y el vibrar constante frente al estímulo patrio; ahí dejamos aun, mil aspectos que incitarán nuestro sueño hasta volver a encontrarlos; dejamos Guanajuato, con el propósito firme de no olvidar jamás la lección recibida: pese a nuestros grandes problemas nacionales, pese a nuestros desvelos en encontrarnos a nosotros mismos, el pueblo de México, apoyado en el inconmensurable legado de su historia, se proyecta en una visión de altura a recuperar en activa directriz ascendente, al ritmo de nuestro tiempo, aquello que todos los mexicanos de todas las épocas construyeron para el orgullo, dignidad y proyección cósmica de sus hijos.

Luis Ortiz Macedo
Doctor en Arquitectura

Guanajuato

Sitios

y

Recorridos

La Ciudad de Guanajuato

Al hacer referencia a este nombre nos viene a la mente, la Patria; la historia de nuestras reivindicaciones y la generosidad de la provincia de México. Bien podría ser Guanajuato sinónimo de pujanza y vitalidad, que es precedida por esa mezcla ingenua y torbellino del mestizaje. Si alguien llegara a preguntar de dónde proviene, y si acaso es guanajuatense, su respuesta se engalana de orgullo. Porque no hay tierra sin individuos. Los guanajuatenses vierten mexicanidad en sus expresiones, en su comportamiento y en su dignidad.

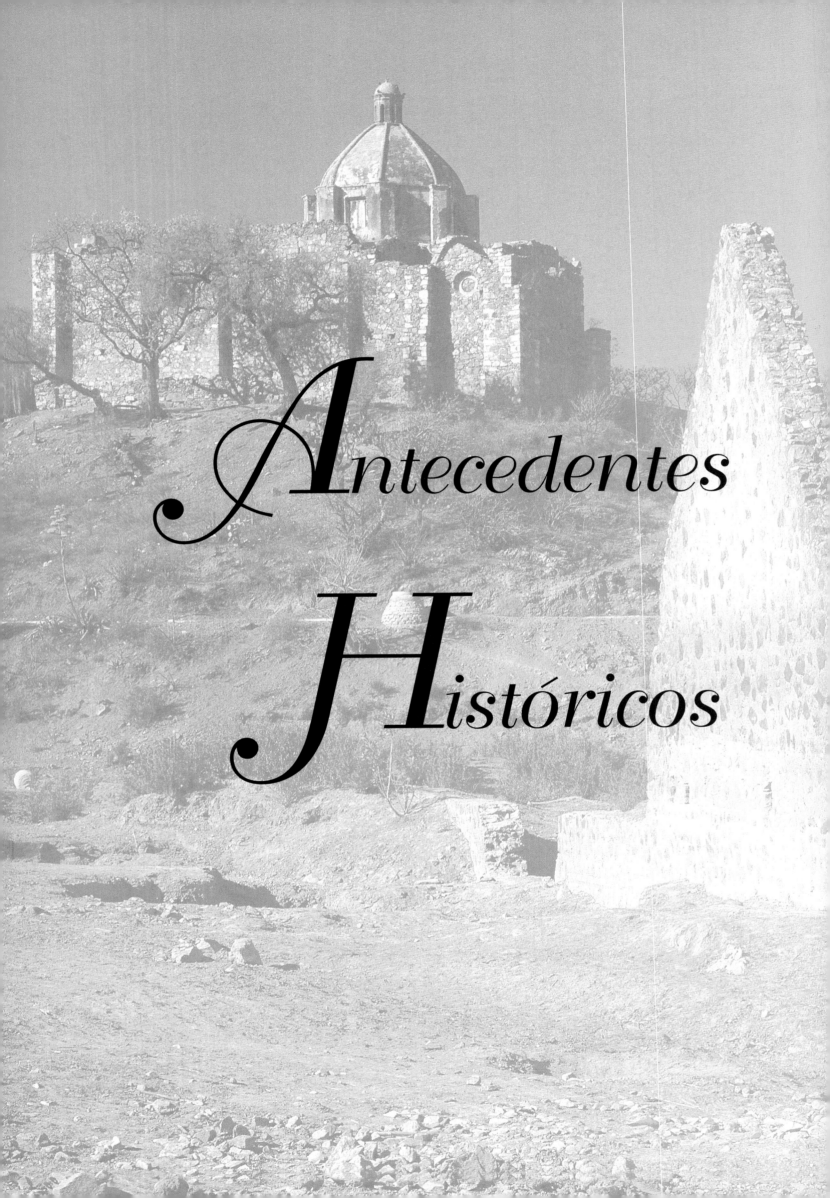

Antecedentes Históricos

Chichimecas

ntes de la conquista de los españoles, el territorio que ocupa actualmente la ciudad de Guanajuato fue ocupado por los chichimecas (*hijo de perro o perro sucio*). Los chichimecas, que antes del Siglo XVI tenían una cultura nómada pero avanzada y son llamados los chichimecas "históricos" o legendarios[1], eran los descendientes de aquellos que se encontraron los ibéricos. Bien vale la pena aclarar que Mesoamérica era considerada hacia el Sur de lo que actualmente es el estado de Querétaro, a partir de allí, hacia el Norte, emergía la Frontera Nómada, "Tierra de Salvajes" o La Gran Chichimeca. Esos nativos nómadas eran temidos y odiados por el resto de las civilizaciones sedentarias, que eran agricultores, ya fuesen aztecas o tarascos. Para estos indígenas salvajes la guerra significaba la vida misma. No había botín más preciado que los trofeos de batalla: alimentos, armas, mujeres o cueros cabelludos recién obtenidos. Los chichimecas eran verdaderamente sangrientos y temidos, mucho antes que llegaran los españoles.

La orden de los franciscanos fue la primera en asentarse en zona guanajuatense. Esto sucedió en 1526, con la conquista de la región de Acámbaro.

La zona donde actualmente se encuentra la ciudad de Guanajuato fue otorgada al español Rodrigo Vázquez en 1546, como merced para ganadería, también, en ese mismo año se realizó el descubrimiento de la plata en territorio zacatecano. Dicho hallazgo comenzó a rendir frutos dos años después, en el 48. La noticia corrió con tal fuerza que en masa se comenzaron a mover los conquistadores. La riqueza había sido encontrada y la Edad de la Plata en la Nueva España, comenzaba. Época que, por otra parte, sostuvo el Imperio de la vieja España.

Guerra chichimeca

E ste éxodo hacia el norte de Mesoamérica dio como resultado una de las guerras más cruentas de nuestra patria, que duraría alrededor de cuarenta años. A tal confrontación entre "salvajes" y "civilizados" se le llamó Guerra Chichimeca (1550-1590). La conquista de los españoles de tierras chichimecas trajo un hecho histórico invaluable, los hispanos pudieron avanzar hacia Nuevo México y después se aposentarían en Chihuahua, Coahuila, Nuevo León y Sonora, hasta llegar a los desiertos de Arizona, las planicies tejanas y la Alta California.

La ciudad de Guanajuato era el centro del camino hacia la conquista de la plata. Es decir, entre Guadalajara y Zacatecas, lo que se llamaba la provincia de la Nueva Galicia. Para que estos intrépidos europeos pudiesen llegar a los centros mineros, tenían que cruzar la violencia de guamares, guaxabanas y guachichiles (todos ellos hermanos chichimecas), asentados en las inmediaciones de Guanajuato, San Luis Potosí y Querétaro. Los más cercanos a territorio guanajuatense eran los guamares; éstos fueron calificados por un capitán insular como "los más valientes, más belicosos, más traicioneros, destructores y astutos de todos los chichimecas".

Entre 1552 y 1557, en medio de la violencia se fundó lo que hoy es la ciudad de Guanajuato y se encontraron vetas del preciado mineral; además, se había constituido en presidio y defensa, en contra de los chichimecas.

Como es bien sabido por todos, la Nueva España hacía las veces de arcas del imperio español, y así la riqueza argentífera de Guanajuato y sus buenas rentas, motivaron para que el rey muy pronto se fijara en la región, ha-

Cristo del Templo
del Señor de Villaseca

TITULO Đ CYV-
DAD

Concedido por la Magestad del Señor
Rey

DON PHELIPE QVINTO
Que Dios g.de
A LA VILLA Đ SANTA FE Y-
Real de Minas de Guanajuato, en
atencion á sus meritos, y servicios.

Año de 1741.

que tambien deven estàr promptas en las oca
siones, y vrgencias para que las pida el Virrey
de la Nueva España, con otras circunstancias dig
nas de mi Real atencion para que la Concediese
la Gracia que pretende:

E RESUELTO SO-
BRE CONSULTA DE CA-
torce de Octubre del año proximo
pasado, honrrar, y ennoblecer, con
decorar, y sublimàr à la mencionada Villa de
SANTA FÈ, y Real de Minas de Guanajuato,
con el Titulo de Ciudad à que aspira, y solicita,
Concediendola las Armas, fueros, y privilegios
que la corresponden por Leyes, y segun, y como
los gozaren, y estuvieren permitidos à las demas
sufraganeas de la Capital de aquel Reyno, y que
se aumente el numero de sus Regidores, hasta el
que tuvieren estas, los que se deveràn sacàr à la
publica Almoneda, para que ceda su remate en
beneficio de mi Real Hacienda; y con la calidad
de haver de formar sus Ordenanzas, y Estatutos
para el Govierno politico, y economico de la ex
presada Ciudad; y la de, que luego que estèn for
mados, los haya de remitir su Ayuntamiento,

al enunciado mi Consejo para su examen, y
a provacion.

**OR TANTO, POR**
EL PRESENTE MI REAL
Titulo, quiero, y es mi voluntad, q̃
desde ahora en adelante, y para
siempre perpetuamente la referida Villa, sea, se in
titule, y llame la CIUDAD DE SANTA FÈ,
y Real de Minas de Guanajuato; y que goce de
las preeminencias que por tal Ciudad, puede, y
deve gozàr; y assi mismo que sus vecinos gocen
de todos los privilegios, franquezas, y gracias, in
munidades, y prerrogativas, de que gozan, y de
ven gozàr todos los otros de semejantes Ciudades
y que esta se pueda poner, y se ponga el referido Titulo, en todas las Escrituras, Autos, instrumentos
y lugares publicos; y que assi la llamèn los Señores
Reyes que me succedieren, a quienes encargo, que
amparen, y favorezcan à esta nueva Ciudad, y la
guarden, y hagan guardàr las gracias, y privilegios que como à tal la pertenecen.

**EN SU CONSEQVEN-**
CIA ENCARGO TAMBIEN-

ciéndolo patente por medio de la donación de una imagen de la Virgen María que llegó al Real de Minas en el año de 1557 y que desde entonces se venera en este lugar con el nombre de Nuestra Señora de Guanajuato.

Los pobladores de Guanajuato resistieron la Guerra Chichimeca, ya que era una de las fronteras más violentas de la región y, por lo mismo, fue creciendo. Amén de la riqueza en plata que se encontraba en sus alrededores. La gente vivió a las orillas del río y muy pronto se convirtió en Alcaldía Mayor. A finales del Siglo XVI ya había más de 4,000 habitantes y se construyó una parroquia. Para entonces, se había pacificado la zona, la "civilización" había sometido a los "salvajes".

Para tal efecto, los españoles tuvieron que convencer a los enemigos históricos de los chichimecas para poder combatirlos, y así, otomíes, tarascos, tlaxcaltecas y mexicas pelearon contra sus enemigos acérrimos. Además, la duración de dicha guerra debilitó a los "desnudos", y la población mestiza había contribuido a la pacificación; tal es el caso del Capitán Caldera, que hizo las veces de soldado y diplomático.

La minería

En los inicios de 1600, Guanajuato ya había obtenido fama de centro minero. En 1630 tenía una población de más de 5,000 habitantes, 300 eran españoles y el resto indígenas, mestizos y criollos. A pesar de que la guerra en la Gran Chichimeca había terminado, no dejó de haber robos y "ladrones y salteadores de caminos, que se habían multiplicado de la manera más escandalosa", por lo que en 1633 se nombraron los primeros Alcaldes de la Hermandad, personajes que estaban encargados de

Molienda del metal (Códice florentino)

Fundición en bracerillo (Códice florentino)

San Cayetano
Patrón de los Mineros de la Valenciana

perseguir y castigar a los malhechores. Cuarenta años más tarde la ciudad fue elevada a la categoría de Villa (1679).

Sin duda alguna la prosperidad minera tenía muchos inconvenientes derivados de las políticas imperiales: el endeudamiento por avíos era un mal crónico que con frecuencia motivaba quiebras y clausuras de minas y haciendas. De cualquier manera, Guanajuato sobresalía por el sueldo que se les daba a los trabajadores que consistía en cuatro reales y partido diarios. El estado de pérdida se incrementaba con la poca mano de obra especializada, ya que el promedio de vida de los trabajadores en la mina era de cuarenta años.

El auge de la minería guanajuatense alcanza su plenitud en el Siglo XVIII. Durante este siglo se dieron algunos cambios importantes dentro de esta rama económica del imperio español. En primer lugar Carlos III dispone abrir más puertas al comercio, tanto en España como en la colonia, esto dio como resultado un mayor tráfico de bienes entre ambos continentes; se exceptuaron las alcabalas (impuestos) a las materias primas, herramientas y algunos alimentos, necesarios para el fomento minero. Sin embargo, esta rica rama económica cambió de dueños. Hacia la década de los 60-70 los prestamistas de la ciudad de México quedaron en quiebra ya que el envío de sus avíos a las minas de Mellado, Rayas, Cata, Sirena y otras no les dejaban suficiente ganancia, así que se retiraron de la minería de Guanajuato. Entonces, este campo productivo quedó vacante para los oriundos de la región: los guanajuatenses se convirtieron en "aviadores" de la minería de su lugar de origen. Enviaron no sólo mercancías y dinero a los mineros extractivos sino también a los "rescatadores" o compradores del metal y a los "hacenderos" o refinadores. La derrama económica de la minería ya no estaba en manos de los prestamistas del centro y tampoco en manos de los viejos dueños.

No habría que perder de vista la explotación en la que vivían los trabajadores de las minas, que hacía que estos se sublevaran y, ante su trágico destino, bebieran. Cundieron los delitos patrimoniales y de sangre. Entonces surge el Tribunal de Minería para toda la Nueva España, que era la instancia legal en este ramo, y consecuentemente, se le otorgó mayor autono-

Fundición de oro. Mina El Cubo

mía a esta industria y mayor desarrollo. En 1783 se promulgaron las nuevas Ordenanzas de Minería, que eran más modernas y acordes a los tiempos y, después, funcionó un banco de avío en apoyo a esta industria. Así es como se inician los trabajos del Colegio de Minería, que en el futuro contaría con técnicas que hacían más segura y eficiente la extracción de los metales.

Entre los diversos cambios que realizaron los Borbones en la colonia española destacan los de orden político y económico. No es extraño que hacia el año de 1786 se promulgara la Real Ordenanza de Intendencia, que mandó suprimir a los alcaldes mayores. Las ganancias patrimoniales cambiaban, únicamente, de manos. A ello vale agregar que este siglo fue el de mayor riqueza en la Nueva España. Esto alteró el panorama de la colonia.

El apoyo dado a la minería contribuye al auge de esta actividad y sus zonas circundantes. Así, en el patrón de poblamiento del México central el mayor era el de la intendencia de Guanajuato, y en términos más amplios, el del área de El Bajío. "Desde 1790, y seguramente desde mediados de siglo, esta región era señalada como la más densamente poblada en todo el reino. Según los datos de 1803, se ha calculado que tenía una densidad de más de 28 habitantes por kilómetro cuadrado, y en 1810 esa proporción sobrepasó a los 31, o sea, doblaba la densidad de las provincias más pobladas —Puebla y México— (...) la densidad urbana y humana de El Bajío era un caso insólito, producto también de un insólito y equilibrado desarrollo económico y social de raíces regionales"[2].

La Mina de Valenciana

Nueva España se había convertido en el exportador de plata acuñada a España, Oriente y América del Sur. La plata era el producto que mantenía al imperio español y a sus colonias. En esta época el segundo intendente de

Contrafuerte de la Mina de Guadalupe

Contrafuerte de la Mina de Rayas

Guanajuato fue Juan Antonio de Riaño, hombre que ayudó al desarrollo cultural y económico de la provincia. Durante este tiempo se reabre la Mina de Valenciana (conocida muchos años atrás y que había dejado de producir porque era incosteable).

El criollo Antonio de Obregón y Alcocer la trabaja nuevamente y la reabre en 1760. Este tenía como aviador y socio a un comerciante de Rayas, Pedro Luciano de Otero, así como a Juan Antonio de Santa Ana.

La mina constaba de 24 barras de acciones que estaban divididas en tres partes: 10 de Obregón, 10 de Otero y 4 de Santa Ana. Su producción masiva se inició ocho años después de su reapertura.

Estos tres hombres visionarios no sólo hacían las veces de lo que hoy llamamos "inversionistas" sino que se arriesgaron a aviar o refaccionar al resto de los mineros de la región; les prestaban dinero a los mismos mineros, a los rescatadores y beneficiadores y, a su vez, compraban el producto extraído. Valenciana, de una u otra forma, coadyuvó al crecimiento minero de Guanajuato de finales del Siglo XVIII y en los albores del XIX. Era evidente que entre más riqueza se encontraba en sus fundos, se expandía la riqueza en El Bajío.

Se calcula que la célebre mina produjo, a fines del XVIII y principios del XIX, las dos terceras partes de toda la plata que se beneficiaba en Guanajuato. Tan fue así su éxito que de los títulos de nobleza que se otorgaron en Guanajuato, tres son de Valenciana: el conde de Valenciana, el conde de Casa Azul y el conde de Pérez Gálvez. Sobre esta gran riqueza el científico Humboldt comentó, "sus vetas exceden en riqueza a cuanto se ha descubierto en las demás partes del mundo".

Albores de 1800

La ciudad de Guanajuato y sus Reales dependientes en 1790 tenía, aproximadamente, 55,000 habitantes. En 1803 llegó a un poco más de 70,000 y para 1810 eran, más o menos 90,000. Poco después de su fundación la población era totalmente heterogénea: convivían los negros con los mulatos; los españoles con los indios, mestizos y criollos. Posteriormente, en el Siglo XVIII, había un porcentaje mucho mayor de mestizos.

La bonanza económica trajo cultura e información; en 1810 la intendencia de Guanajuato era una de las más afortunadas de la Nueva España. Superaba en mucho al resto de la colonia. Sus habitantes tenían acceso a información privilegiada y ya sabían de las ideas libertarias, conocían el significado de autonomía y soberanía del pueblo. A la desigualdad manifiesta que ejercía la corona sobre sus súbditos americanos se engendraba la inconformidad y rebeldía, sobre todo dentro de la población criolla. Además, abundaban las noticias de la descompostura del imperio español, eran del conocimiento común el ejercicio errático de la monarquía.

Los cambios borbónicos y el acelerado crecimiento económico dieron como fruto un enorme desequilibrio social, los novohispanos se acercaban a grandes pasos a la Revolución de Independencia.

La revolución de Independencia

Entre las múltiples noticias que inquietaron a la sociedad novohispana sobresalen aquellas que afirmaban que las tropas francesas habían ocupado la mayor parte del territorio espa-

Títulos de minas

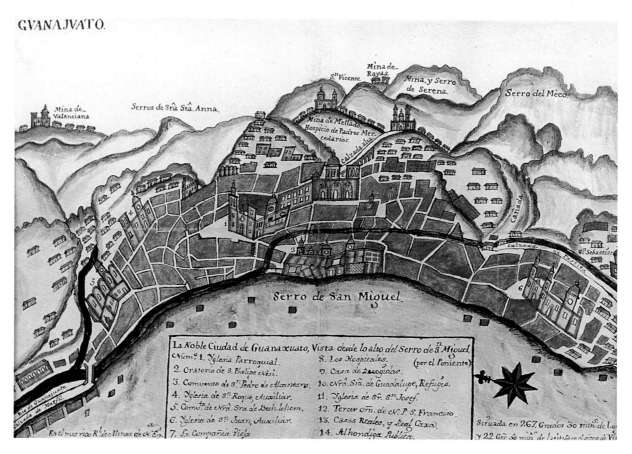

Mapa de la ciudad de fecha 1750

ñol, y la insurrección de varias colonias en América del Sur. Luis Villoro nos relata al respecto: "La fuerza política del ayuntamiento de México es nula y el grupo dominante, alerta, mantiene un sólido control de la situación. Si los criollos quieren triunfar, no les bastará su fuerza propia. Se verán obligados a despertar a otras clases sociales hasta entonces al margen.

Así, la represión contra los intentos de reforma obligando a los reformistas de clase media a aliarse con las clases trabajadoras, recurso que en años pasados parecía innecesario, dará al nuevo intento de independencia un sesgo diferente al de las demás colonias americanas. Este proceso aparece claro en la conspiración de Querétaro. Aquí se reúnen regularmente varios criollos. Los más importantes son Miguel Hidalgo y Costilla, eclesiástico ilustrado, prototipo del 'letrado', ex rector del Colegio de San Nicolás de Valladolid, quien gozaba de gran prestigio intelectual; Ignacio Allende, oficial y pequeño propietario de tierras y, Juan Aldama, oficial también, hijo del administrador de una pequeña industria"[3].

La conspiración fue descubierta y sólo quedó la opción del levantamiento de la noche del 15 de septiembre de 1810 en el poblado de Dolores.

En Dolores, el cura Hidalgo era el párroco y llama a sus feligreses para pedir auxilio, libera a los presos y se hace de las armas de la guardia local. El llamado del cura no sólo es escuchado por la sociedad ilustrada y criolla, sino que se extiende a todas las capas sociales guanajuatenses. En San Miguel el Grande se suman las tropas de Allende, quien era soldado del imperio.

Alhóndiga de Granaditas,
Mural *Abolición de la esclavitud*
Obra de Jósé Chávez Morado

El Bajío en su plenitud sabe de la insurrección, en las llanuras de Celaya proclaman a Hidalgo "generalísimo".

La intención de la columna independentista era tomar Guanajuato, la ciudad más rica de la región; mineros, campesinos, indígenas, criollos y mestizos se unen a la gesta revolucionaria. El 28 de septiembre de 1810, Guanajuato es tomada y el intendente Riaño se niega a la rendición.

Sin embargo, la ciudad queda solitaria y los nobles, el intendente Riaño y los ricos europeos se parapetan en la Alhóndiga de Granaditas. A partir de allí se da una lucha feroz. Hace su acto histórico "el pípila": cuando los insurrectos queman la puerta de la alhóndiga, "el pípila", un avecindado de Mellado, pone una losa sobre su espalda para poder guarecerse y así prender fuego al refugio de los monárquicos.

Después de tomar Guanajuato, los revolucionarios se dirigen a Valladolid para ir hacia la capital; al movimiento se unen más campesinos e indígenas, las columnas crecen a gran velocidad y Allende intenta darles disciplina y tácticas. Se lleva a cabo una confrontación en el Monte de las Cruces, hecho que hace regresar al regimiento monárquico a la ciudad de México, la manera de llegar a la capital se encuentra abierta, sin embargo, Miguel Hidalgo y Costilla retrocede. Ha habido grandes pérdidas humanas; los hombres se encuentran malheridos y hambrientos. Por el norte, hacia el centro, viene un ejército realista comandado por Félix María Calleja. Las tropas insurgentes se reorganizan en Celaya y el cura se va a Guadalajara, mientras que Allende se queda en Guanajuato.

En San Luis Potosí, Zacatecas, Guadalajara y el sur, esta última zona comandada por otro cura, José María Morelos y Pavón se dan brotes revolucionarios y comienzan a aparecer destacamentos guerrilleros por el norte y el centro de Nueva España. El intento independentista de los guanajuatenses cobra eco, y no sólo se circunscribe a una comarca, la Nueva España comienza a despertar.

Entre las propuestas de Hidalgo reviste importancia la de un congreso compuesto por "representantes de todas las ciudades, villas y lugares de este reino" y se guardaba la soberanía a Fernando VII. El cura también denunció el sistema de explotación que se vivía en América y reivindica los mismos derechos de cualquier otra nación sometida a la Corona. El cura de Dolores, se convierte en el vocero de los deseos de la población novohispana.

Al transcurrir los meses las huestes independentistas van perdiendo fuerza. Calleja toma la ciudad de Guanajuato el 25 de noviembre de 1810, ordenó el degüello general, que no se consumó gracias a los ruegos de fray José de Jesús Belaunzarán (de la orden de los dieguinos). Ante ello, se llevaron a cabo fusilamientos en masa y gran número de los sublevados guanajuatenses murieron en tales circunstancias.

Calleja ataca Guadalajara, en donde se encuentran Allende e Hidalgo. El 16 de enero de 1811 se enfrentan a las tropas realistas, al mando de Calleja, en Puente de Calderón. Los independentistas viven una derrota total y Calleja toma Guadalajara. Los jefes insurgentes, en un intento desesperado, se van al norte; pasan por Zacatecas, y de Saltillo a Monclova son emboscados. Ambos son juzgados en Chihuahua y son ejecutados el 30 de julio.

El 14 de octubre de 1811, llegaron a la ciudad de Guanajuato las cabezas de los caudillos insurgentes: Miguel Hidalgo y Costilla, Ignacio Allende, Juan Aldama y Mariano Jiménez.

Monumento al Pípila

Sus cabezas fueron colgadas en los cuatro ángulos de la alhóndiga y estuvieron allí durante diez años. A pesar de ello, la independencia seguía su curso. El secretario de Miguel Hidalgo, Ignacio Rayón, establece la Suprema Junta Gubernativa de América en Zitácuaro y el cura Morelos no desiste los embates en el sur.

Después de la intervención de Javier Mina, de las ideas liberales e inteligentes de Joaquín Fernández de Lizardi, de Nicolás Bravo, de Vicente Guerrero y del general Mier y Terán, entre muchos otros insurgentes anónimos, pareciese que en nuestra historia se llega a un acuerdo: el Plan de Iguala. Este es el documento que, aparentemente, termina con la guerra. Dicho documento fue negociado por un alto oficial criollo que había peleado de lado de los realistas y pertenecía a una familia de hacendados nobles, Agustín de Iturbide, quien un año después, el 21 de julio de 1822, era coronado emperador de México.

Las consecuencias de la guerra

La Independencia fue solemnemente jurada en Guanajuato el 8 de julio de 1821. Los cráneos de los héroes fueron rescatados de la alhóndiga y sepultados en el camposanto de San Sebastián. La riqueza que había ostentado la ciudad de Guanajuato durante casi dos siglos fue deshecha durante la guerra de Independencia. La tarea productiva de mayor envergadura, la minería, había casi desaparecido; ninguna mina trabajaba; las haciendas y zangarros, en su mayoría, estaban destruidos y no se contaba con pólvora ni con otros elementos necesarios para la producción. La población había descendido a cerca de 6,000 habitantes. La recién nación independiente se encontraba en quiebra.

Casa del marqués Pérez Gálvez

Casa de Lucas Alamán

En 1822, la fuga de capitales fue en ascenso, los españoles y europeos monárquicos habían retirado sus bienes de la Nueva España. Así, Iturbide no tenía recursos en las arcas, sólo le alcanzaba para mantener al ejército y a los servidores públicos, asimismo, había restringido la salida de capitales, subió los impuestos y recurrió a la deuda externa.

Los liberales no veían con buenos ojos a Iturbide y se intenta establecer la República. Este intento se lleva a cabo en el congreso e Iturbide manda capturar a algunos diputados, entre ellos, Bustamante y Teresa de Mier.

Las ideas liberales y el gobierno republicano hacían su aparición. Mientras tanto, en Veracruz, el 1o. de enero de 1823, Antonio López de Santa Ana se subleva, lanzando un proyecto republicano y se unen a tal movimiento viejos insurgentes como Guadalupe Victoria, Vicente Guerrero y Nicolás Bravo. Pocos días después cae el efímero imperio de Iturbide. Y se anuncia, verdaderamente, la República. Tuvieron que pasar muchos años, muchos desvelos y muertes para que México llegara a la Reforma.

Detalle aldaba.

La transición

México adopta el sistema federal en 1824. Guanajuato se convierte en uno de los Estados de la Unión y la ciudad del mismo nombre en su capital.

Ese mismo año, la recién constituida república no ve con malos ojos el desempolvar a la industria minera y sustituye "las cargas fiscales que pesaban sobre ella por un impuesto de tres por ciento sobre el valor del metal, y autorizó la libre importación de azogue. Más

Portón de la casa del marqués Pérez Gálvez

tarde, en 1827, dio otro incentivo eliminando impuestos sobre todo artículo vendido en pueblo minero. La publicación del libro de Humboldt había despertado ya el apetito europeo por las riquezas de las colonias españolas. No es de extrañar, en consecuencia, que una fiebre de especulación invadiera a Europa a raíz de la consumación de las independencias americanas"[4].

En 1825 se establecen en Guanajuato dos compañías inglesas para explotar las minas y ello contribuye a reactivar la industria. Tres años después, el antiguo Colegio de la Purísima Concepción, antes Hospicio y luego Colegio de la Santísima Trinidad, pasó a ser una institución del Estado, enriquecido en edificio, biblioteca, laboratorios, personal, etcétera.

Reconstruir el país y hacer que el Estado funcionara fue un proceso de transición largo y desgastante, considerando fundamentalmente la pobreza de las arcas mexicanas. "A río revuelto ganancia de pescadores", reza el refrán; algunos mexicanos gritaban la presencia de un monarca; los sensatos acordaban con la Constitución del 24; unos reclamaban el sistema federal y otros el constitucional.

El país estaba en quiebra y tenía graves conflictos internacionales (Francia en 1838), además de que "los últimos dos gobiernos centralistas estuvieron ensombrecidos por la inminente guerra con Estados Unidos. José Joaquín Herrera, un moderado, trató de conciliar los diversos partidos y evitar la guerra con el reconocimiento de la independencia de Texas.

Por supuesto era muy tarde para detener los acontecimientos y su actitud pacifista sólo sirvió para irritar a los nacionalistas"[5]. La publicación de los Tratados de Guadalupe-Hidalgo pusieron fin a tal confrontación bélica el 2 de fe-

Plaza Mayor, mitad del Siglo XIX

brero de 1848, con las consecuencias consabidas: se perdieron los territorios de Texas, Nuevo México y la Baja California. El general Mariano Paredes, el licenciado Manuel Doblado, el padre Jarauta y otros, se levantaron en armas en Aguascalientes y luego llegaron a la ciudad de Guanajuato. En Guanajuato se establecieron y mantuvieron la lucha de inconformidad por algunos meses.

Finalmente fueron derrotados. El presbítero Celedonio Domeco Jarauta fue fusilado en Valenciana y sus restos se depositaron en la capilla de Santa Faustina de la Basílica de Guanajuato.

Constitución de 1857

Llevar a cabo el sistema constitucional también sumergió al país en diversas luchas intestinas. Unos años antes, se le había solicitado a Santa Ana regresar al país y lo hizo el 20 de abril de 1853, dos días después estableció una especie de reglamento administrativo para sentar las bases de una constitución.

El descontento en contra del dictador no se hizo esperar y a la cabeza, Ignacio Comonfort, escribe el Plan de Ayutla, a mediados de 1854; Guanajuato, San Luis Potosí, Tamaulipas y la ciudad de México se habían sumado a lo declarado por este documento y se anunciaba una revolución en contra de Santa Ana.

En su nuevo gabinete, Santa Ana manda llamar a Benito Juárez para ocupar el cargo de Ministro de Justicia. Entre tanto, el licenciado oaxaqueño se une a la causa en contra del dictador y comienza a trabajar para conjurar en contra del varias veces gobernante.

Alfarería mayólica

Grabado de Hidalgo
Autor: Claudio Linati

El 5 de febrero de 1857 se promulga la nueva Constitución General de la República y ésta es jurada solemnemente, en Guanajuato, el 24 de marzo de ese año. A partir de tales acontecimientos el presidente Juárez reside en Guanajuato desde el 17 de enero de 1858. En la ciudad instala su gobierno y la declara, provisionalmente, capital de la República. Benito Juárez permaneció en la ciudad de Guanajuato durante un año.

Los ímpetus imperialistas de algunos ciudadanos de la República llegaron a la velocidad del viento hasta Guanajuato en 1864. En algún momento, la corte del príncipe de Habsburgo se aposentó en Guanajuato, en calidad vacacional. La población desempeñó un papel destacado en contra de Maximiliano, aunque tuvo que vivir los atropellos del ejército invasor y de la corte austro-húngara.

Restablecida la República, Benito Juárez fue presidente de México hasta su fallecimiento en 1872, quien tomara su lugar fue don Sebastián Lerdo de Tejada. Es importante señalar que durante estos periodos presidenciales Guanajuato incrementó su producción minera y en 1874, la mina del Nayal comenzó a vivir una época de "vacas gordas". Al grado que se comparaba con la bonanza de la mina Valenciana y La Luz, en el Siglo XVIII. Durante esta época había aumentado la cantidad de haciendas para beneficiar metales, a 40 en toda la región.

Porfirio Díaz

Con el triunfo de la revolución tuxtepeña en 1876, se inicia el periodo porfirista. Como todo el país, Guanajuato no fue excepción. Se registró un desarrollo económico inaudito, la red ferroviaria creció hacia todos los puntos cardinales del país, especialmente desde el centro de la República. Sin perder de vista que tal desarrollo material traía emparejado la desigualdad social y económica; la falta de libertades y derechos y, el sometimiento de una clase desamparada.

Al país llegaron los capitales extranjeros, a la economía se le habían inyectado francos, dólares y libras esterlinas. A ello se sumaron, en las zonas mineras, los métodos modernos de explotación, como el cambio del antiguo sistema de beneficio por azogue por el nuevo de cianuración. Los trenes pasaban por doquier y, en algunas zonas, había luz eléctrica. Con el tren se facilitó el traslado de los minerales, de las materias y maquinarias necesarias para la industria minera. Todo esto condujo a que se abarataran los costos del transporte; se sustituyó la vieja máquina de vapor, al hombre y a las bestias en los trabajos ejecutados al interior de las minas y en las plantas externas.

En 1882 el ferrocarril paraba en Marfil. En 1908, la vía se extendió hasta la estación de Tepetapa, a orillas de la ciudad de Guanajuato. En 1880, la ciudad contaba con luz eléctrica y dos años después se establecieron el Banco Mercantil Mexicano y el Banco Nacional de México, casi un lustro después se abrió el Banco de Guanajuato (1889). Los ciudadanos del Estado también pudieron hablar por teléfono, por primera vez, en 1882, y se podían transportar por tranvía ese año. En 1872 se inició la construcción del Teatro Juárez. Se fundaron hospicios bien equipados para niños, niñas, ancianos y mendigos.

Durante el porfiriato llegó el cinematógrafo a México, hecho que aconteció en Guanajuato en 1897, y tres años antes se inauguraba la Presa de la Esperanza. Con el nuevo siglo, se terminó de construir el nuevo Palacio de los Poderes Legislativo y Ejecutivo. Hacia 1906

se veían automóviles transitando por las calles de la ciudad de Guanajuato y en 1910 se terminó el nuevo mercado, nombrado Juárez.

La educación en Guanajuato también se favoreció: el Colegio del Estado contaba con cuarenta y un cátedras, con estudios de preparatoria y licenciaturas en Derecho, Medicina, Farmacéutica, Ingeniería en Minas, Geografía, beneficiador, ensayador y escribano. En 1895, el municipio contaba con 82,416 habitantes. La mayoría de la población se había establecido en la capital y su medio de vida era la minería.

La revolución de 1910

"Francisco I. Madero logró escapar de su prisión en San Luis Potosí al comenzar octubre de 1910 y se refugió en San Antonio, Texas, junto con otros antirreeleccionistas: Roque Estrada, Federico González Garza, Juan Sánchez Azcona y Enrique Bordes Mangel.

Entre todos prepararon las bases financieras, militares e ideológicas de la revolución armada, que simultáneamente se iniciaría el 20 de noviembre en diversos puntos de México, con Madero como caudillo y el Plan de San Luis Potosí como bandera. En éste se declaró ley suprema de la nación el principio de *No Reelección*, se desconoció al gobierno de Díaz y a las autoridades cuyo poder dimanaba del voto popular.

Madero asumiría provisionalmente la presidencia, para convocar a elecciones un mes después de que el Ejército Libertador dominara la capital y la mitad de los estados"[6], es así como la maestra Berta Ulloa comienza *El breve*

prefacio de la revolución. No hay manera más clara para comenzar a hablar de este periodo histórico mexicano.

Después de que se levanta en armas Madero, se da el trágico asesinato de los hermanos Serdán en Puebla y viene la Decena Trágica. Intervienen en la lucha revolucionaria, en el norte Pancho Villa, y en el Sur, Emiliano Zapata.

Históricamente, la revolución mexicana se da al norte del país y en los estados de Morelos y Guerrero. Pero la guerra pasó del norte al centro, hasta llegar a la ciudad de México, sumándose las diferencias entre los distintos líderes revolucionarios. El cuerpo del noroeste llegó a Guanajuato, comandado por Alvaro Obregón y Lucio Blanco.

Universalmente, todos los conflictos armados traen una cauda de tragedia, desolación, desamparo y desarraigo. La revolución de 1910, trajo consigo pobreza y desorden. Esto no oblitera la importancia de la lucha; de los avances sociales y políticos que trajo consigo: la Constitución de 1917 y sus numerosos artículos que dieron empuje al México actual.

En Guanajuato la revolución trajo un saldo devastador. Un sinnúmero de enfermos de silicosis, minas inundadas, haciendas desmanteladas. La población disminuyó y el comercio declinó. La industria próspera de años anteriores se ve mermada; la minería baja su producción al grado de la inanición. La ciudad misma, empobrecida, parece agonizar.

El 1 de mayo de 1917, después de haberse disuelto el congreso constituyente y de varias negociaciones con Alvaro Obregón, Francisco Villa y Emiliano Zapata, Venustiano Carranza es electo presidente constitucional.

Durante su atropellado periodo el embajador Wilson hace de las suyas, se entromete abiertamente en la política interna de México, mandando tropas a Veracruz.

En 1920, Carranza tenía que dejar el cargo y fue asesinado ese mismo año; fue sustituido por Alvaro Obregón. Posteriormente, El Bajío, Jalisco y Michoacán viven otra guerra interna, denominada Guerra Cristera.

La modernidad

En la decena de los cincuenta a los sesenta de nuestro Siglo XX, Guanajuato se consolida políticamente y la capital del Estado vuelve por sus fueros. La industria y el comercio, después de la debacle revolucionaria, comienza a ver la luz al final del túnel.

En el sector educativo, la Universidad de Guanajuato crece en cátedras y carreras universitarias. Se funda la Orquesta Sinfónica y el Teatro Universitario; la Calle Belaunzarán puede ser recorrida, a un lado del río y se dignifica como museo la Alhóndiga de Granaditas. La Presa de la Soledad comienza a dar servicio a la región.

Los años pasan y las obras de construcción se multiplican. Se sustituye el cauce del río por una vía de extraordinario interés, las aguas negras se entuban. A todo ello se suma el interés de los visitantes, la belleza de la ciudad de Guanajuato atrae mucho más turismo que otras regiones aledañas.

El Teatro Universitario se hace famoso con sus Entremeses Cervantinos y da lugar al Festival Internacional Cervantino y al Coloquio Nacional Cervantino, que tienen su primera edición en

Monumento a Miguel Hidalgo, Padre de la Patria
Obra del escultor italiano Alciati

Monumento a los mineros

1972. La vida cultural crece. Se abren museos, que son acondicionados en los edificios más bellos de la urbe y la población estudiantil y burocrática va en ascenso. La industria histórica más importante, la minería, crece en producción en manos de empresas modernas y pujantes.

Para que la ciudad de Guanajuato sea estéticamente más importante se perforan las rocas para que queden como túneles de nuevas vías. La ciudad tiene más agua, que llega a través de pozos circundantes.

En fin, nuestra ciudad crece. Crece a lo ancho y a lo largo, hay barrios y viviendas en el lomerío aledaño. Por disposiciones legales locales, federales e internacionales se obliga a salvaguardar la belleza singular del casco histórico y sus numerosos monumentos, en la ciudad de Guanajuato.

Cerro de la Bufa

Arquitectura Religiosa

Monumentos Históricos

Templos

La Basílica

H asta 1957 era denominada la Antigua Parroquia de Guanajuato, a partir de esta fecha, fue elevada a la categoría de Basílica. El inicio de su construcción data de 1771 y se terminó de erigir en 1796. El costo total corrió a cargo de los mineros y en el último año de su edificación pasaron a sus espacios la imagen de la Virgen de Guanajuato, que hasta la fecha puede ser contemplada por los fieles que visitan la Basílica. Antes se encontraba en el Templo de los Hospitales, que entonces servía de parroquia.

Su arquitectura

L a arquitectura de la Basílica es barroca manierista del Siglo XVII; templo de planta de cruz latina, con elegante cúpula de la época y fiel representante de tal estilo. A su exterior, la circundan un corto e irregular atrio, del Siglo XIX, cercado por columnas que sostienen cruces y macetones intercalados y un enrejado muy posterior, con tres puertas de acceso, dos con escalones y una al nivel de la calle, cerradas con tres rejas de mucha calidad.

Para entrar al templo existen tres accesos, el principal y dos laterales. Las tres puertas están dispuestas simétricamente que, a su vez, cada una ostenta una fachada en cantera rosa del barroco manierista, sobresaliendo la principal. A su lado hay una torre campanario de tres cuerpos de la misma época y estilo de toda la Basílica. En el lado contrario, sobre un recio basamento, hay una pequeña y bella torre del churrigueresco del XVIII, que queda muy bien con el estilo de la edificación.

También existe una capilla neoclásica –dedicada a la Virgen de Lourdes– que consta de dos torres delgadas. Ésta se encuentra en el lado de bautisterio y está unido a él. Es evidente que esta capilla fue construida posteriormente, en 1878, y no concuerda con el resto de la construcción.

El acervo artístico colonial de la Basílica perdió tres retablos barrocos, estos fueron sustituidos por obra neoclásica, de corte muy frío. La Virgen de Guanajuato está situada en el central del baldaquino; otro está dedicado a San Nicolás Tolentino, patrono de la minería; y al frente se encuentra San Ignacio de Loyola, patrono de la ciudad. A los lados de la puerta principal se hallan dos pequeñas capillas neoclásicas y se dice que una de ellas fue hecha por Eduardo Tresguerras.

Anteriormente, allí se guardaron los restos auténticos del cuerpo y la sangre de Santa Faustina Mártir. Los restos, su cuerpo embalsamado y su sangre, hecha polvo, llegaron de Roma a América en un bello frasco gracias a las diligencias del segundo conde de Valenciana. Éstos fueron certificados como auténticos por la Santa Sede y llegaron a la ciudad de México en 1803. A su arribo, fueron expuestos para su pública veneración en la capilla particular de la casa del conde, en la calle de Plateros (hoy Madero) en la capital virreinal. En 1812, ante notario, estos restos fueron trasladados a la urna que los contiene actualmente y que fue situada en la edificación hecha por Tresguerras. El segundo conde de Valenciana donó dichos restos a la Parroquia de Guanajuato y en 1826, los colocó en ese sitio. Más tarde, en 1907, con motivo del Patronato Canónico de la Virgen de Guanajuato, la urna fue trasladada a la mesa del altar mayor, donde se encontraba hasta hace muy poco. Asimismo, en 1853, en una sencilla tumba, se colocaron los restos del Padre Jarauta, que luchó en contra de la intervención norte-americana y los Tratados de Guadalupe-Hidalgo.

Nuestra Señora de Santa Fe de Guanajuato

Se supone que, en sus inicios, el piso del templo era de duela de mezquite que, posteriormente, se cambió a losa formando bellos motivos. Es importante señalar que el suelo fue renovado a principios del Siglo XX, y se sustituyó por mosaico y, en 1956, osaron remodelarlo y cambiarlo por imitación de mármol. Salta a la vista, todos estos cambios no favorecen a tan bello monumento. También, en los albores de nuestro siglo, se colgaron elegantes candiles que se contraponen con el estilo de nuestra Basílica. El marqués de San Clemente hizo construir en el Siglo XVIII un edificio anexo –camarín para la virgen– que se comunica con el templo. Tiempo después fue acondicionado para bautisterio y en él hay una bella pila, pinturas del insigne Miguel Cabrera y apropiados muebles churriguerescos.

Como lo dijimos en *Antecedentes Históricos*, la imagen de la virgen fue regalada por Carlos I o Felipe II. La imagen es una escultura del estilo barroco y fue realizada en magnífica madera estofada, en el cuerpo de ella se advierten vuelo y plieges en su ropaje. Su cara tiene una dulce expresión y en el rostro del niño se denota ternura. La Virgen de Guanajuato se encuentra de pie en una rica peana de plata repujada, también del estilo barroco. Dicha peana fue donada por José de Sardaneta y Legaspi, en 1737.

La Compañía

Después de muchos intentos fue que, hasta 1732, la Compañía de Jesús fundó un colegio en Guanajuato. Dicha fundación se realizó por la amable donación de doña Josefa Teresa de Busto y Moya. Ella acertó en dar dinero en metálico y prestar su casa habitación para que se erigiera el colegio. De ella fue la iniciativa, a la que se sumaron su hijo, el sacerdote don Ildefonso de Aranda y el marqués de San Clemente (su hermano), don Francisco Matías de Busto y Moya Jerez y Monroy. Este último ofreció 10 mil pesos, para la fundación.

Pasó mucho tiempo desde que se iniciaran los trámites hasta que se llevó a cabo su cabal construcción. Todo comenzó cuando el provincial de los jesuitas hizo una visita a la villa y ponderó la solvencia de sus patrocinadores; así, pudo comprobar que la orden tenía mucho por hacer en tal región.

El virrey de la Nueva España dio su anuencia y otorgó la licencia para crear un hospicio, se prosiguieron con los trámites hasta que el rey diera su aprobación a la fundación del colegio. Esto pasó en los últimos días de septiembre de 1732 y los jesuitas entraron a Guanajuato al final del mes. Treinta días después, crearon el hospicio de la Santísima Trinidad y se instalaron en la casa de doña Josefa y es allí, precisamente, en donde está situada la parte central de la Universidad de Guanajuato.

En aquellos años los jesuitas carecían de templo y se les otorgó la capilla de los indios otomíes, que estaba situada atrás de la casa que ocuparon. La orden se sirvió de ella aún cuando ya habían construido su imponente templo, para uso de culto interno. Actualmente dicha capilla alberga la biblioteca *Manuel Cervantes*.

Don Pedro Bautista Lascuráin y Retana, un rico hacendado de El Bajío, heredó al futuro Colegio Jesuita de Guanajuato, cuatro haciendas de ganado y labranza situadas en el Valle de Santiago. El gesto tenía como objetivo que se mantuviese una misión permanente de cuatro jesuitas que recorrieran periódicamente el Obispado de Michoacán, y así tener como sede el colegio en Guanajuato. En caso de que la fundación de Guanajuato no fuese elevada a la calidad de colegio, la herencia y disposiciones pasarían al que ya existía en Celaya. Seis años después de que don Pedro hizo la herencia, el

rey dio su autorización para que el hospicio de Guanajuato pasara a ser colegio. Con la resolución imperial favorable, el colegio tendría asegurada su sobrevivencia.

La orden de los jesuitas contaba con la autorización del rey, con las sumas de sus benefactores, con el dinero recolectado y con la herencia. De esta manera, los jesuitas compraron las fincas y terrenos, enfrente de la Plaza Camacho, que circundaban la casa donada por la Sra. de Busto y Moya, derribaron las construcciones existentes, prepararon el terreno y el 6 de agosto de 1747 se inició la construcción del templo.

Entre el anecdotario de dicha empresa, quedó como leyenda que los operarios ostentaban el lujo de la ejecución de sus trabajos: los burros eran adornados con listones coloridos y costosos, más apropiados para la cabellera femenina que para los equinos; los retaques de los barrenos eran de monedas y de cañutos llenos de oro y plata. Se dice que las autoridades tuvieron que prohibir tanto dispendio. Pero el hecho es que todo lo relatado fue verídico, así lo prueban los documentos de la época.

La traza y primeras labores fueron encomendadas al betlemita fray José de la Cruz. Después de 18 años de trabajos interrumpidos, el 8 de noviembre de 1765 finiquita la obra el alarife Felipe Ureña, él es el que presenta el majestuoso templo de la Compañía de Jesús, en la ciudad de Guanajuato.

La historia le dio un revés a la Compañía de Jesús y la orden fue expulsada de todos los dominios españoles durante el reinado de Carlos III y, pese a la defensa que se originó por parte de mineros y súbditos del reino hispano, los jesuitas salieron de tierras de El Bajío en el mes de julio de 1767.

Su arquitectura

La Compañía es un templo del más desarrollado estilo churrigueresco. En sus tiempos inaugurales, el exterior contó con una lonja que sirvió de panteón. Tenía una larga escalinata en todo su frente, que fue suplida en el Siglo XIX por el estrecho atrio que se encuentra actualmente. Dichas escalinatas daban acceso al templo a través de cinco puertas: dos laterales, una se encuentra en la calle del Sol, adornada con una magnífica fachada churrigueresca, y la otra, permitía la entrada del colegio al templo; actualmente se encuentra cerrada. El resto de las puertas se sitúan al frente, coronadas por tres fachadas churriguerescas juntas pero desunidas. La central es el acceso principal y es totalmente distinta a las dos restantes. Éstas dos últimas tienen una fachada adornada con los clásicos estípites del estilo churrigueresco; se le intercalan nichos que guardan santos de la orden jesuítica, así como de su dedicación a la Santísima Trinidad.

La Compañía cuenta con una torre al frente, que fue construída después, y al lado contrario hay una espadaña desprovista de campanas o matracas. El interior del templo tiene tres naves, más bajas las laterales que la central, soportadas por gruesas y altas columnas, coronado con bella cúpula de la segunda mitad del siglo pasado, pues la original se desplomó en 1808.

En relación a sus retablos barrocos, desaparecieron y fueron sustituidos por altares del neoclásico tardío de muy mal gusto. Sólo quedó en pie la parte principal. La iluminación del interior del templo es excepcional; la luz entra por varias ventanas abiertas en los muros que sostienen la nave central y en el tambor de la cúpula.

San Miguel Arcángel portando a la Virgen de Guadalupe
Obra de Miguel Antonio Martínez Pocasangre, mitad del Siglo XVIII

A los lados del altar mayor están ubicadas dos puertas bajo dos fachadas de cantera del mismo estilo del templo, que dan acceso a la sacristía. La sacristía de la Compañía es la más majestuosa de la región: su largo es del ancho del edificio; está compuesta por una sola nave y dos fachadas interiores, una sobre la puerta que da a la calle y la otra sobre la que conduce a las habitaciones.

Es importante destacar que el acervo artístico de la Compañía tiene gran valor. Sobresalen lienzos de Miguel Cabrera, que están allí desde el Siglo XVIII. También hay obras de origen italiano donadas, desde la época colonial, por un sacerdote guanajuatense. Además, es de relevancia aclarar que entre los templos que construyó la orden de los Jesuitas, el de Guanajuato, junto con el de Puebla y La Profesa de la ciudad de México, fue de los más ricos y mejor hechos.

Fachada lateral del Templo Parroquial de Marfil

Templo Parroquial de Marfil

San Cayetano de Valenciana

Este templo fue erigido gracias a las riquezas de la mina de Valenciana. Como lo señalamos en nuestros *Antecedentes Históricos*, en los inicios de 1600, Guanajuato ya había obtenido fama de centro minero y desde entonces, la mina de Valenciana dejaba muy buenos dividendos a la corona española. Después deviene y no será sino hasta el año de 1760 que el criollo Antonio de Obregón y Alcocer se anima a explotarla. Durante este periodo, y después de fructíferos esfuerzos, se encuentra la veta madre de la mina y comienza la bonanza. Para 1770, en la región aledaña a la mina se habían asentado, aproximadamente, 8,000 habitantes que vivían de la prosperidad metalúrgica. Entre todos y con las ganancias argentíferas se comienza a erigir el templo de San Cayetano, en 1775.

En la época colonial, el poder de la curia era inagotable y es por ello que el templo tiene un campanario menos. Como es de suponerse, los dueños y trabajadores de la mina estaban muy orgullosos de su templo, su construcción tenía visos de ser opulenta y suntuosa. Al darse cuenta de ello el cura párroco de Guanajuato, mandó suspender la licencia y envió el litigio a la capital. Los benefactores de Valenciana vieron truncadas sus expectativas y se ordenó suspender los avances de la construcción. Sin embargo, el 6 de agosto de 1788 se estrenó con "pompa y platillos"; se dedicó a San Cayetano y su costo sobrepasó los cuatrocientos mil pesos.

Su arquitectura

San Cayetano es una bellísima representación del churrigueresco mexicano más avanzado. Su estilo barroco, es ejemplo en toda América. Su templo está semirrodeado por un irregular y nada sobresaliente atrio, el único atractivo es una sencilla cruz, hecha de cantera verde, sentada al terminar el tramo segundo de la escalera de acceso sobre una peana de argamasa de un diseño original, hecho a base de dibujos muy bien hechos . Su fachada principal está, toda ella, hecha en cantera rosa, que al igual que la verde, son características de Guanajuato. La fachada principal de San Cayetano tiene un frontispicio en el centro cercado lateralmente de manera muy exuberante. La gigantesca portada tiene una simetría perfecta, formada por tres cuerpos, aunque, el de arriba es un remate ornamental.

El primer cuerpo llega hasta la repisa de la ventana; está compuesto de una parte central y dos laterales: la parte central cuenta con un vano en arco de medio punto sencillo, cerrado por una clave de interesante talla. Este marco encuadra una bella puerta de madera de bien diseñadas tracerías; arriba de la parte alta del arco se encuentra un medallón ricamente decorado que hace que destaque. Las dos partes laterales tienen estípites, en pares, de muy ligeras medidas con infinidad de molduras que terminan en capiteles caprichosos.

Entre los estípites delgados hay dos columnas gruesas profusamente decoradas que encierran en su centro nichos sin esculturas. El segundo cuerpo tiene como máxima altura el tamaño de la ventana del coro; está delimitada por jambas y cerramiento de bellas molduras. Este segundo cuerpo termina con un frontón de caprichosa línea curva, de donde nacen columnas barrocas, éstas son chicas y delgadas. El tercer cuerpo, y último, es del más puro estilo churrigueresco, dado en América. Allí, se pueden observar un sinfín de adornos que envuelven un nicho central, flanqueado por columnillas que rematan con esculturas, termina con una cornisa curveada y simétrica, coronada con la escultura de San Cayetano, que lamentablemente está mutilada.

Esta monumental fachada está delimitada con los fustes de las torres de recio volumen, que cuentan cada una con dos ventanas, una claraboya y una carátula de reloj mecánico, y con el único campanario sobre uno de los cubos. En la actualidad existe una sola fachada lateral, tiene un sólo cuerpo y una hornacina con la escultura de San José; cuenta con dos pilares en todo lo alto, que terminan en cornisas, abundante y finamente decorada con filigranas que hacen de ella un maravilloso conjunto con mayor valor artístico que la fachada principal.

El templo está coronado con una cúpula, formada por un tambor de ocho gajos perforados por ventanas con estípites a los lados que rematan en almenas. Sobre este tambor de ocho gajos, se haya la media naranja de la bóveda compuesta, también de ocho partes, y sobre ésta: una linternilla que termina en un cupulino. La cúpula de San Cayetano es verdaderamente única en la expresión artística de los monumentos coloniales.

El interior del templo cuenta con una planta de cruz latina, su altura es bien proporcionada: muros altos reforzados en la parte de afuera por medio de contrafuertes y, por dentro, con pilastras metidas en los muros y con pilares en las cuatro esquinas del crucero; cerrado todo con un techo de cuatro bóvedas de cañón con lunetos, con la cúpula sentada en pechinas cubiertas de buenas pinturas, donde se encuentra el tambor con pilastras y ventanas, de buen gusto y tamaño adecuado. Encima de un arco rebajado y muy tendido se encuentra ubicado el coro. Esta pieza es invaluable, tanto en su expresión arquitectónica como escultórica; también, son dignas de comentarse las portadas churriguerescas que se encuentran al interior (dos en el presbiterio y dos bajo el coro); el piso del templo es el original, son resistentes ladrillos hexagonales de espléndida manufactura guanajuatense.

NO
TOMAR
FOTOGRAFIAS

Aún nos queda por hablar de los retablos. El principal está dedicado al patrono del sitio y es una de las realizaciones churriguerescas notables de la época, cuenta con un baldaquino para la exposición santa que está ubicado enfrente de un arco y desde la sacristía se ilumina. Además sus cuerpos están pletóricos de esculturas, estípites y molduras, extraordinariamente trabajadas.

Hay dos retablos más, ubicados en los brazos del crucero, ambos son soberbios: uno está dedicado a la Virgen de Guadalupe y el otro a la Iglesia Católica. El de la virgen, cuenta con magníficas pinturas sobre las apariciones del Tepeyac. Ambos retablos son representativos del arte colonial de la segunda mitad del Siglo XVIII.

El púlpito es una extraordinaria obra de ebanistería, en la que hay maderas de bálsamo, caoba, naranjo y rosa. También son únicos los confesionarios y los elegantes blandones, bancas del público, órgano y sillones de los oficiantes. Nos faltaría por describir la sacristía, obra estu-

penda que consta de un amplio rectángulo de muy buena altura; contiene columnas empotradas y techumbre de bóveda que se ilumina por las ventanas y el tragaluz. Además, se puede apreciar un bello nicho adosado en la pared, que fue realizado en cantera verde y del mismo estilo que el resto del edificio. En su interior se guarda un óleo de San Cayetano, una llamativa cajonera, dos enormes armarios y una mesa con un Cristo de marfil en el centro, todo ello tesoro del Siglo XVIII.

Asimismo, el bautisterio cuenta con una colosal y fina pila bautismal, aunque no es de la época del resto del edificio sino más reciente, de 1886. Destaca su forma de copa con tapadera bautismal. Su base es de piedra, de madera y estuco dorado.

El Templo de San Cayetano de Valenciana es un gran ejemplo del barroco churrigueresco mexicano, solamente comparable con los magníficos templos de Tepotzotlán o el Sagrario Metropolitano.

Parroquia de Santiago Apóstol

Iglesia de la Santa Casa de Loreto

San Diego

Suponemos que después de 1663 se inició la construcción de este templo, erigido por los Franciscanos Descalzos de San Diego. Esta edificación ha sufrido las innumerables inundaciones que también ha vivido la ciudad de Guanajuato. Por ello, lo que vemos actualmente ha sido modificado y ha ido elevándose en construcciones posteriores. Sufrió los excesos del agua en 1694 y 1780, en este año se realizó su última reconstrucción, y es la edificación que podemos observar, llevada a cabo por las buenas intenciones del primer conde de Valenciana. El edificio se erigió, en su totalidad, cuatro años después y se tuvo que subir el piso, las paredes, los retablos y las fachadas, hasta ocho varas.

Su arquitectura

El templo de San Diego cuenta con una magnífica portada, de fina talla en cantera rosa, en la que aparecen filigranas de piedra, siendo uno de los ejemplares más exquisitos del churrigueresco mexicano.

Su interior ha sido despojado de bellos retablos los que, también en el Siglo XIX, fueron suplidos por altares de piedra, que dan una sensación distante y de frialdad. En una de sus dos capillas interiores se venera la imagen del Cristo de Burgos, imagen que fuera donada por el Rey Carlos III al primer conde de Valenciana.

En el siglo pasado, el templo, contaba con un convento anexo y es allí donde se levanta espléndido el Teatro Juárez. También hace cien años, San Diego contaba con un camposanto y templo de la Tercera Orden. San Diego guarda actualmente en su interior, un incomparable acervo pictórico colonial del Siglo XVIII.

Pardo

E n sus inicios, durante el Siglo XVIII, fue una simple capilla dedicada a la Virgen de Guadalupe y era parte de la hacienda de beneficio de Guadalupe o Pardo. Tuvo que llegar el año de 1757 cuando se reconstruyó y quedó con las dimensiones actuales. Asimismo, sufrió modificaciones, por tercera vez, en 1868.

Su arquitectura

A l frente se encuentra la fachada que perteneció al templo de San Juan de Rayas y que, en 1974, fue trasladada a Pardo para salvarla del deterioro que había sufrido durante años. Dicha fachada corresponde al barroco churrigueresco; está planeada con tres cuerpos y profusamente decorada con estípites adosados realizados con libertad y soltura. Tiene, además, una torre de esbeltas proporciones, con un decorado exquisito del mismo estilo.

El interior del templo es muy pequeño, más bien es una capilla. Cuenta con una elegante cúpula, un sólo altar del siglo pasado y una nave.

Claustros y Templos

La Merced

El auge de la riqueza en metales de Guanajuato hizo que no sólo llegaran a sus tierras trabajadores para la minería sino también llegaban órdenes religiosas a recoger limosna. Entre ellas se cuenta la orden de los Mercedarios, que mandaban lo cedido por la producción americana a Europa, para liberar a los cautivos católicos de la guerra de moros y turcos. A su llegada a tierras de El Bajío no contaban con hospedaje y es así que los dueños de la mina de Mellado cedieron óbolos para construir el templo y la casa habitación que se ubica en el poblado del mismo nombre.

Ya que los mercedarios tuvieron donde aposentarse, dirigieron sus intenciones de fundar un convento en Mellado al ayuntamiento de Guanajuato, hecho ocurrido en el año de 1752. El virrey tuvo conocimiento de tal petición, aceptó, siempre y cuando, en caso de que la orden tuviera que salir de la región o de la Nueva España, esas propiedades serían devueltas a sus propietarios. Tres años después, el virrey da su anuencia provisional, hasta que el rey otorgara la definitiva. Los mercedarios tomaron posesión de casa y templo el 6 de septiembre de 1756 y se pidió que fuese la fecha oficial el día 24, que era domingo y se celebraba la fiesta de la Señora de la Merced.

En tanto que los mercedarios construían su templo se hicieron cargo de la administración religiosa del poblado de Mellado que, por cierto, contaba con más de diez manzanas de casas. Frente a la devastación de la guerra de Independencia, los mercedarios se sostuvieron estoicos manteniendo el culto y atendiendo a los feligreses. Ante la debacle económica que se vivió en la región minera de Mellado, los frailes pudieron resistir hasta el último momento, que llegó al grado de no tener aceite para el Santísimo ni poder pagar los gastos de la subsistencia de la orden.

El paso del tiempo hizo estragos en su interior, los retablos dorados fueron sustituidos por otros altares fríos y de mal gusto, que permanecen hasta ahora. La aplicación de las Leyes de Reforma hizo que los mercedarios se retiraran del mineral de Mellado y la propiedad fue devuelta a sus dueños originales, para luego pasar a ser propiedad nacional y el culto fue atendido por el clero secular. Hoy por hoy, el claustro conventual se encuentra en ruinas y el templo en muy mal estado.

San Francisco

L a calle de Cantarranas fue el sitio donde se aposentó la orden de los Franciscanos Observantes a petición de los guanajuatenses. En 1780, los franciscanos hicieron las primeras gestiones para poder fincar sus edificaciones en tierras de Guanajuato.

Todo comienza cuando la provincia franciscana de Santiago de la Nueva Galicia (hoy el estado de Jalisco) quiso ampliar sus servicios religiosos en tierras vecinales, y pidió permiso al ayuntamiento y a la corona española. La provincia, también franciscana, de San Pedro y San Pablo de Michoacán, tuvo la osadía de pensar que tenían más derechos, pues trabajaba en la región de la Intendencia desde el Siglo XVI, y llevaba paralelamente el mismo trámite frente a las autoridades de Guanajuato.

El cabildo le avisa a los michoacanos que ya se realizaron las diligencias a favor de la jaliscience, pero que no se opone a que haga lo mismo. Así comenzó el pleito entre ambas provincias, que tuvo que solucionar, en persona, el rey.

Parecía ser que el destino favorecía a la provincia de San Pedro y San Pablo: la población, las autoridades, y hasta la Diócesis apoyaban su petición. La excepción eran los dieguinos, ellos alegaron que la fundación de los franciscanos les perjudicaba. Finalmente, el 18 de marzo de 1791, el Rey Carlos IV, autoriza la fundación a favor de la provincia franciscana de San Pedro y San Pablo de Michoacán. Esta orden llegó a Guanajuato el 10 de noviembre de 1791, y como no tenían dónde vivir se alojaron en la que había sido de los jesuitas, casi 15 años atrás.

Esta primitiva fundación sólo tenía el carácter de hospicio, pero al año siguiente se elevó a la categoría de convento formal y casa de voto. La calle de Cantarranas es testigo del esfuerzo para construir, primero, su monasterio y, después, gracias al regidor Pedro Luciano de Otero que les donó un predio situado entre el templo de San Juan Bautista (hoy San Francisco) y el actual templo de Loreto y Santa Casa (allí en medio), fincaron un pequeño convento. Como carecían de templo se les prestó, temporalmente, el aledaño a San Juan y muy pronto elevaron una pequeña capilla –actualmente Santa Casa– y devolvieron San Juan Bautista a los curas de Guanajuato. A pesar de que ya habían logrado sus objetivos, nunca quitaron el dedo del renglón de construir un majestuoso monasterio, allí, en Cantarranas. Deseo que nunca se les cumplió.

La pobreza de los franciscanos obligó a que su parroquia fuera muy austera y mal construida, así que en 1820 le pidieron al ayuntamiento que les diera el contiguo a su convento, templo de San Juan, y les fue negado; volvieron a solicitarlo, cinco años después, al Gobernador del Estado y, otra vez, obtuvieron una negativa. Incansables, lo volvieron a pedir en 1828 y esta vez sí tuvieron éxito. Hoy en día los franciscanos guanajuatenses están en posesión de dicho templo, y su construcción es de los años treinta del Siglo XVIII. Los franciscanos renovaron el edificio en 1848-1852, cambiando los retablos de madera dorada por altares de piedra.

La orden franciscana abandonó su monasterio e iglesia en 1860, por causa de las Leyes de Reforma, que ordenaban la exclaustración del clero regular y nacionalización de las propiedades de la Iglesia Católica. Sin embargo, al año siguiente, volvieron a su templo, actualmente de su propiedad.

Hospitales

Entre 1552 y 1557 surge la Edad de la Plata guanajuatense. Para llevarse a cabo la expropiación del preciado mineral era necesario importar mano de obra. Es decir, los conquistadores españoles trajeron indios, en tandas periódicas, de otras regiones para realizar esa labor. Estas tandas fueron aumentando en la medida que se abrían más minas y se fundaban más haciendas de beneficio.

¿En dónde se quedarían estos trabajadores migrantes?, se preguntaron los hispanos. Tanto los tanderos como los indígenas tenían que contar con un albergue durante su periodo laboral y, también, un lugar donde habitar si decidían quedarse en la región, después del trabajo obligado que realizaban por órdenes de los insulares. El obispado de Michoacán había erigido espacios en donde se quedaban estos hombres que venían en contra de su voluntad. Su obispo, don Vasco de Quiroga, pidió que en su diócesis y alrededores, se construyeran hospitales para albergar a los migrantes naturales. Guanajuato hizo lo propio: se edificaron algunos sitios para dar cobijo a los indígenas que trabajaban en la minería.

Las normas que había instituido el obispo michoacano eran: todos estarían bajo la advocación de la "Purísima Concepción de Nuestra Señora la Virgen María" y tenían que estar gobernados por las ordenanzas dictadas por el mismo jerarca de la Iglesia; se deberían de edificar cerca del templo del sitio y allí mismo se debían recibir enfermos, huérfanos, desvalidos, caminantes y trabajadores temporales. También, tenía que haber una capilla para la catequesis de los refugiados y oficios religiosos, y allí estaría fundada una cofradía de Nuestra Señora de la Limpia Concepción. Asimismo, la capilla tenía que estar circundada por un cementerio para el servicio mortuorio de los indígenas.

Es evidente que dentro de estos hospitales de la Concepción debía haber enfermería, y se atendía a los de mala salud con medicina occidental y de las Indias. Los indios locales tenían que servir como enfermeros, personal de limpieza y cocineros del albergue. En el hospital había una división, en donde se alojaban y comían los viajantes. Además, había un mayordomo que administraba el sustento de los acogidos y los bienes de la institución; un prioste, que atendía todos los deberes religiosos y su sustituto, llamado qengue, que también estaba a cargo de la disciplina y del orden del sitio. Estas instituciones estaban muy bien organizadas, tenían un fiscal para la defensa de sus intereses y un escribano que levantaba las actas y daba fe de hechos. Es importante señalar que los sacerdotes no tenían ninguna autoridad en estos lugares, únicamente velaban para que se cumpliera con la religión y la moral.

Antiguo hospital para los mazahuas
Templo de San José

Algunos hospitales de Guanajuato se fundaron bajo las reglas de don Vasco de Quiroga, además del acatamiento de las disposiciones reales de Carlos I, que había dispuesto: *"Encargamos y mandamos a nuestros Virreyes, Audiencias y Gobernadores, que con especial cuidado provean que en todos los pueblos de españoles e indios de sus Provincias y Jurisdicciones, se funden hospitales donde sean curados los pobres enfermos y se ejercite la caridad cristiana"*. Bajo estas circunstancias, el éxodo de naturales de las Indias hacia Guanajuato trajo consigo individuos de distintas culturas, y se crearon hospitales sucesivamente.

El primero estuvo cerca de Guanajuato y fue el de los tarascos (1554), que incluía la mano de obra de las minas del Real de Santa Ana; en 1555, el de los otomíes y, un año después, el de los mexicas, ambos erectos en el casco de la ciudad. El de los mexicas, dice la tradición, fue el primer recinto que tuvo la imagen de la Virgen del Rosario (ahora Virgen de Guanajuato), para después pasar a las instalaciones de los tarascos en 1665, en donde permaneció hasta 1696. En 1565 se construyó el hospital para los mazahuas, en el sitio donde ahora se encuentra el templo de San José; muy cerca del Real de Marfil se crearon dos, uno para los tarascos con advocación a la Purísima Concepción, y el otro, para los naturales otomíes y mexicanos, "cuya vocación es los reyes". Todos los hospitales enlistados estaban bajo la dirección religiosa del clero secular.

En los hospitales de las minas de Guanajuato había capilla y demás aposentos exigidos por las ordenanzas de Don Vasco; ninguno tenía rentas fijas y se mantenían de las limosnas que se recogían entre los indígenas. La guerra chichimeca hizo que en Guanajuato se crearan cuatro presidios o fuertes, para proteger a los mineros y trabajadores de los ataques "salvajes". Uno de estos presidios se encontraba en Marfil; al segundo, lo ubicaron en el actual barrio de Tepetapa; el tercero, en Santa Ana y el cuarto, en "la falda del cerro del Cuarto", que recibió el nombre de Santa Fe. Dada su seguridad, se fundaron alrededor asentamientos que, posteriormente, se llamarían Reales y fue creciendo la ciudad de Guanajuato.

Los primeros trabajadores migrantes, mano de obra minera, que llegaron a la ciudad de Guanajuato fueron los tarascos. Ellos construyeron durante cinco años el primer hospital —en Santa Ana— fundado en la región; cuando se creó el curato, se designó como iglesia matriz, que tuvo este rango hasta 1696. En 1616 Guanajuato declaró como su patrón a San Ignacio de Loyola, que en esa época aún era beato y no santo. La fe a San Ignacio de Loyola logró que se le instalara un altar en la capilla real, y allí mismo se colocó una imagen del fundador de la Compañía de Jesús.

Al paso del tiempo, los tarascos no tuvieron ninguna injerencia dentro de las instalaciones ya que los conquistadores también tenían acceso a la capilla. Es por ello que fueron a dar totalmente a manos de los hispanos. Sin embargo, la construcción tuvo remodelaciones, como la que se le hizo al techo: antes era de techumbre y después de viguería, que suponemos estaban labradas y con canes de buenas o, por lo menos, resistentes maderas. Además, el sitio recibió visitas tan importantes como la de don Vasco de Quiroga, don Francisco de Aguilar y Seijas en 1680 o la de la Cofradía de las Ánimas, con sede en el templo parroquial, que era la capilla de marras.

En 1760 aún no perdía su designación de hospital, ya que, según fuentes históricas, fueron trasladados allí los damnificados del hospital de Belén durante la terrible inundación de ese año. Ya

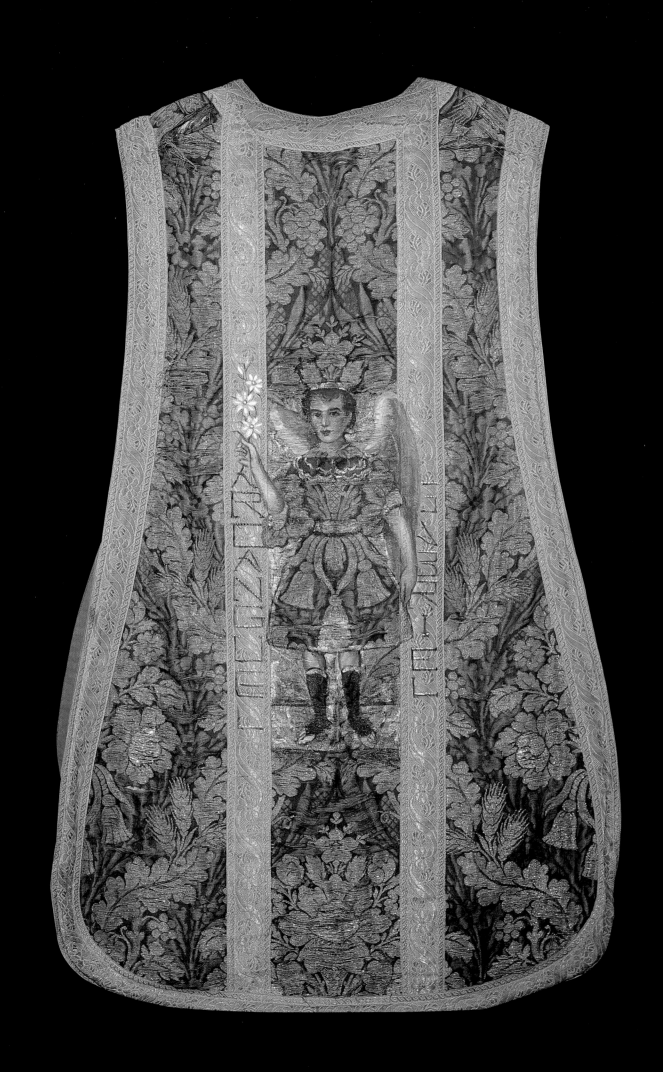

para el Siglo XVIII, sólo quedaban los restos de la parroquia y los tarascos no atendían el sitio. Suponemos que la mezcla entre indígenas y españoles, produjo un desarraigo tal que los naturales fueron dejando poco a poco sus costumbres, usos y tradiciones primigenias. Actualmente, mantiene el culto católico en su interior y es conocido con el nombre de Hospitales.

Los textos históricos de don Lucio Marmolejo y de don Fulgencio Vargas nos hablan de la existencia de otro hospital para indígenas, correspondiente a los mazahuas. Estuvo en donde actualmente está enclavado el templo de San José, que fue su capilla. Estas instalaciones para trabajadores migrantes se encontraban, casi todas, en la misma ladera del cerro del Cuarto, limítrofes unos con otros, por lo que al lugar se le nombró Cuesta de los Hospitales.

Como dijimos unos párrafos atrás, en el Siglo XVIII, la existencia de los hospitales había menguado, al grado que algunos ya no existían. El procurador del ayuntamiento de Guanajuato en 1737 nos expone al respecto: *"los hopitales de los naturales tarascos, otomites y mexicanos, que sólo lo son en la denominación, pues ni tienen hospitalidad ni enfermería alguna en que pueda verificarse su erección..."* Veinte años más tarde agrega, *"al presente se ha extrañado tanto de la mente y voluntad de la cedente, que es todo lo opuesto, y con gravísimo perjuicio de esta República se experimenta solo el modo de que retrayéndose los mencionados indios de lograr tan común beneficio desamparándolos, habiéndolo hecho albergue de mulatos, lobos y otras gentes de semejantes calidades, viciosas por naturaleza, comúnmente ejercitadas en torpezas, tratos y comercios ilícitos..."*

Estos albergues y hospitales, de cualquier manera, seguían siendo indispensables en el Siglo XVIII, eso lo prueban los servicios que dieron durante la epidemia de viruela de 1707 que causó muchas muertes; la hambruna que se vivió en 1749, como consecuencia de las sequías de varios años y que acarreó otra epidemia de viruela entre 1796-1797.

Sin embargo, no nos cabe la menor duda de que la extinción de los hospitales se debió también, al estado en el que se encontraban nuestros indígenas. Ellos habían sido mezclados, explotados y estupidizados con el fin de ser usados como animales de carga, únicamente como fuerza de trabajo. Igualmente, la razón de esta desaparición se da porque los indígenas ya no eran forzados a emigrar de sus lugares de origen, sino que en las regiones ya había oriundos que podían hacer la mano de obra. La minería se había convertido en un oficio, había que ser especialista y el aprendizaje iba de padres a hijos, y no se permitían, para esas épocas, a los improvisados o neófitos.

Belén

T ardíamente, los betlemitas también hicieron acto de presencia en Guanajuato. Hasta el Siglo XVIII, el 26 de marzo de 1727, el prefecto Vicegeneral de la Orden Hospitalaria de Nuestra Señora de Belén le escribió al ayuntamiento de la Villa de Guanajuato para pedirle auxilio y cooperación para fundar en el área un hospital con hospicio, convento y templo.

El cabildo aceptó gustoso la propuesta y se les designó un espacio en los terrenos de la antigua hacienda de beneficio De Cervera, que en aquel entonces era propiedad de doña Isabel Hurtado de Mendoza, madre del mariscal de Castilla. Entre todos los trámites burocráticos y administrativos, el virrey de la Nueva España (don Juan de Acuña) dio su aceptación provisional el 25 de agosto de 1727 para llevar a

cabo la empresa, siempre y cuando existiera la afirmación real. Dos días después de la intervención virreinal la propietaria cedió el predio a través de un instrumento notarial en la ciudad de México y el 30 de septiembre, el Regidor Fiel Ejecutor de la villa dio, solemnemente, en posesión del sitio a los betlemitas.

Comenzaron a construir el hospital, convento e iglesia, y como siempre, la oligarquía minera ayudó en metálico. Era de esperarse que la política real no iba a permitir que se "brincaran las trancas", así que mandó suspender las obras y multó al ayuntamiento. Esta suspensión no sólo obedecía a razones de la autoridad imperial, sino también tenía atrás el fondo de la conveniencia económica. Se cancela la construcción, se reciben más monedas y todos tan contentos. Se tuvieron que hacer nuevos trámites ante el Real Consejo de Indias y el rey. Finalmente, el 25 de octubre de 1731, los betlemitas tenían la aprobación del monarca al cien por ciento para erigir sus edificios. Pronto se terminó el hospital y el convento, sin embargo, el templo tuvo que esperar varios años, y gracias al subsidio del conde de Valenciana, don Antonio de Obregón y Alcocer, se pudo finiquitar su construcción, para regocijo y beneplácito de la población colonial.

El hospital y templo se habían proyectado en las orillas del río que cruzaba la villa, así que sufrieron las sucesivas inundaciones, del año 1760 y la de 1780, y fueron reparados y reconstruidos varias veces.

El convento recibía limosnas que iban directamente a la manutención del hospital, institución que sirvió durante lustros a los mineros. Además, los betlemitas organizaban en sus espacios de servicio comunal y religioso la festividad anual como la tradicional de la natividad de Jesús, que durante nueve días previos al 25 de diciembre se llevaban a cabo las tradicionales posadas; el templo y las calles aledañas eran decoradas con motivos *ad-hoc* al momento y se ponían puestos pintorescos de dulces exquisitos y sobresalían los elementos de los Nacimientos, que se podían observar en las casas particulares.

En las turbulencias de la revolución de la Independencia y entre las "patadas de ahogado" que daba la monarquía decadente, en 1820, las Cortes de España decretaron la extinción de las órdenes religiosas hospitalarias, entre ellas la betlemita, de todos los reinos españoles. El 23 de enero del año siguiente se ejecuta en la capital de la Nueva España tal disposición y a los pocos días en sus provincias. Fue tal la indignación del pueblo que las autoridades no se atrevieron a exclaustrar a los frailes, por lo que en Guanajuato, y en otros lugares, permanecieron en sus conventos. El último betlemita muerto en tierra guanajuatense fue fray Vicente de San Simón, en 1825. El Congreso del Estado ordenó que se entregara el hospital y sus bienes al ayuntamiento, para que bajo su dirección siguiese prestando los útiles servicios para que fue fundado, y el templo se entregó al clero secular de la ciudad.

Noventa años estuvieron en la ciudad los betlemitas y es de suma importancia destacar la labor comunitaria que realizaron en Guanajuato. Aún perduran sus loables acciones, ya que el actual hospital de la ciudad es producto de aquella fundación; los frailes lo sostuvieron hasta el final, después y a través del ayuntamiento, de particulares, de unas monjas y luego el Estado, sus servicios médicos continúan vigentes. Como tal, como hospital de Belén, fue trasladado al edificio del Paseo de la Presa, que ahora ocupa la Escuela Normal Primaria del Estado, para luego establecerse en el sitio que conocemos hoy en día.

Antiguo hospital de los Betlemitas
Escuela de Ingeniería de la Universidad de Guanajuato

El edificio en donde la orden se estableció, dio servicio como hospital hasta los años veinte de este siglo. En la década de 1950 se establecieron allí las oficinas de la Coordinación de Salubridad Pública, donde también funcionaba un departamento de medicina preventiva y otro de diagnóstico, un dispensario y la Cruz Roja. Hoy se encuentra allí la Escuela de Ingeniería de la Universidad de Guanajuato.

Arquitectura Civil

Teatros

Teatro Juárez

Una veintena de años después de la promulgación de la nueva Constitución General de la República, y en el año que muere Benito Juárez, se comienza a construir este monumental teatro de la Ciudad de Guanajuato. En 1872, el gobernador del Estado, el general Florencio Antillón, ordena el proyecto, los planos y el diseño al arquitecto José Noriega.

La producción minera parece ser que retoma su preeminencia, la que había perdido a partir de la revolución de Independencia, y comienza a encumbrarse la mina del Nayal. Tan fue así que había en la región 40 haciendas de beneficio, y gracias a la mina del Nayal se comienza a vivir otra etapa de "vacas gordas" en el área.

Antes de que se erigiera este monumental teatro estaba en su lugar el Hotel Emporio, que ocupaba lo que había sido el convento de los frailes dieguinos, de muy grata memoria para la comunidad guanajuatense.

La historia de la construcción del Teatro Juárez experimentó muchos altibajos, su larga trayectoria comenzó cuando el gobernador solicita a la Cámara local de Diputados el permiso correspondiente; llevó el proyecto que había hecho el arquitecto Noriega y, finalmente, el 9 de octubre de 1872 se otorgó la autorización estatal.

Para iniciar tan respetable empresa el gobierno del Estado compró el predio del Hotel Emporio para destruirlo y erigir en ese lugar el teatro. La cantidad que se pagó por dicho lote fue de 30,000 pesos. Casi un mes y medio después, el primero de diciembre, el gobierno tomó posesión del predio.

La ciudadanía vio con malos ojos el derrumbamiento del Hotel Emporio, ya que no había sido notificado de la obra monumental y creía que también se destruiría el templo de San Diego. Ante el descontento, el ayuntamiento solicitó al Ejecutivo estatal no deshacerse de este templo tan preciado por la sociedad. A tal petición, el gobierno del Estado explicó que sólo se derrumbaría el edificio del hotel y Plaza de la Constancia, más no el templo.

El primer día del año de 1873 se comenzaron a hacer las zanjas para construir los cimientos; sin embargo, los albañiles se encontraron con el tropiezo del piso: éste se fue elevando por los residuos de tierra y escombro que dejaron las múltiples inundaciones de Guanajuato; entre más profundo excavaban se encontraban con las paredes de la más antigua edificación del convento, lo que obligó a los técnicos a perforar lo más hondo posible hasta encontrar suelo firme. Para tal efecto se hicieron anchos y fuertes calicantos para que fungieran como cimientos y, una vez terminados éstos, el 5 de mayo de 1873, conmemorando la heroica Batalla de Puebla, las autoridades estatales colocaron la primera piedra del futuro teatro.

Un año después se cancelaron las obras por falta de fondos. En 1875, se retoma su construcción pero de nuevo se suspenden, al grado que lo construido queda abandonado y es usado como corrales para animales y sitio de reunión de viciosos y malhechores, y el ayuntamiento se ve obligado a desalojar el lugar. No obstante, el 2 de

abril de 1883, el jefe político Ignacio G. Rocha propuso al gobierno estatal seguir con la edificación, pero su idea no era erigir un teatro sino un palacio que albergara los poderes del Estado y la Presidencia Municipal. El ayuntamiento, en su mayoría, votó en contra de lo propuesto.

Así que el proyecto del Teatro Juárez durmió "el sueño de los justos" durante 17 largos años. En 1892, el gobernador del Estado, Dr. José Bribiesca Saavedra propuso que Antonio Rivas Mercado (ilustre arquitecto mexicano) y Alberto Malo prosiguieran con el proyecto. Estos eminentes profesionistas fueron comisionados a Estados Unidos a traer madera fina, hierro estructural y cristal. Habiendo traído los materiales, los trabajos no continuaron inmediatamente ya que durante los meses de agosto hasta diciembre de 1892, azotó a la región una terrible peste de tifo, ocasionando en la ciudad de Guanajuato una cantidad de 907 muertes, entre individuos de todas las edades y sexos. Era menester esperar a que la epidemia menguara, y se reiniciaron las obras el 30 de enero de 1893.

La etapa final de construcción duró casi diez años, su inauguración se llevó a cabo el 27 de octubre de 1903, y estuvo presente el general Porfirio Díaz y toda su comitiva. Los presentes disfrutaron la ópera *Aída* de Verdi y fue representada por la Compañía de Ópera Italiana de Ettore Diog.

En sus inicios el recinto fue anfitrión de las mejores compañías del mundo, tanto nacionales como extranjeras. En la Revolución de 1910 vivió, junto a la población, las atrocidades de la guerra civil. En su interior se aposentaron los soldados y sirvió de corral para sus animales; al pasar el trágico momento de la guerra de Revolución, el inmueble estuvo cerrado por muchos años para que después sus puertas se abrieran a un sinfin de espectáculos, que no con-

cordaban con la magnificencia de su arquitectura y moblaje. Las butacas del Teatro Juárez sirvieron como butaquería cinematográfica, de circo, de festividades escolares, de funciones de box; también, fue salón de bailes de carnaval, sirvió como bodega, albergó reuniones sindicales y fue testigo de varios concursos citadinos.

Al ver el deterioro que se estaba llevando a cabo en su interior y exterior, la Cámara de Diputados del Estado lo designó recinto oficial para la toma de posesión de los gobernadores entrantes, salvo algunas excepciones, y también allí se rindieron los informes a la población. La prosperidad que reinaba en todo el país durante la década de los años 50 también se reflejó en Guanajuato, y por lo tanto a este testigo histórico también le cambió la suerte. Dejó de ser local de exhibición de cine y, tres años después, se le restauró el piso del escenario y la instalación eléctrica, ya que representaba un peligro dada su caducidad. Con cierta modestia y decoro, se celebró el cincuentenario de su existencia.

Tras su aniversario, le restauraron todas las líneas de alimentación eléctrica; también se arreglaron el *foyer*, salón para fumar y tocadores, sala de espectáculos y se le repuso la butaquería original. En 1964, se aumentaron, en la parte de atrás del foro, unos tirantes de acero y se exploraron los cimientos, porque se decía que las paredes posteriores se estaban abriendo; en 1972 restauraron el pórtico, las balaustradas, arbotantes, la instalación eléctrica de la sala y el foro; se cambiaron las techumbres de lámina y vidrio por unas semejantes. A partir de este año, 1972, da comienzo otra etapa de grandiosidad del teatro, se celebra en él la parte fundamental del Festival Internacional Cervantino.

Gracias a la fundación del Festival, el teatro es iluminado a nivel internacional y desfilan por sus tablas grupos sobresalientes y representativos de las artes universales de todo el mundo.

Arquitectura

Con palabras del Dr. Víctor Manuel Villegas el Teatro Juárez de Guanajuato ha sido censurado por los puristas y desmesuradamente elogiado por los diletantes, a pesar de todo, "es un gran monumento nacional que con los cambios y depredaciones que ha sido objeto, ha corrido la suerte de haber sido restaurado con toda fidelidad..."

El monumento, continúa el Dr. Villegas "es una muestra del eclectisismo imperante en la arquitectura de la época: ampuloso, sólido y gracioso, e ingenuo a la vez". El especialista narra que el peristilo dórico que pretende ser de inspiración romana, con capiteles metálicos, gran entablamento y estatuas que representan las musas, deberían ser de bronce y que por ser de material metálico más ligero, tienen que estar detenidas por tensores de alambre para que no las desprenda el viento, "sin embargo –recalca en su descripción– son esculturas de buen modelado y se han conservado en perfecto estado".

Al entrar, el vestíbulo deja impresionado a los visitantes, pero es desconcertante para el arquitecto ortodoxo, al encontrar una superabundancia de columnas clásicas, dóricas, deteniendo una cubierta plana, de hierro, que es, a la vez, un gran tragaluz y que, además, es el piso del *foyer* en el siguiente piso donde, coincidiendo con el tragaluz plano –continúa el Dr. Villegas– "hay otro abovedado del que pende un gran candil de cristales (el original). A este gran *foyer* se llega desde el vestíbulo por una escalera monumental, de hierro fundido (como la totalidad de la magnífica estructura del teatro, con recubrimiento de estuco y cantera)". Para continuar con la descripción hecha por don Víctor Manuel Villegas: la cantera en columnas, pilastras clásicas y tableros, en

su origen estuvieron imitando mármoles, estucos en muros y entablamentos. Hay grandes vidrieras en los vanos que tienen herrajes especiales y vidrios grabados con ácido fluorhídrico, con elementos florales y guirnaldas.

"El interior del teatro, propiamente dicho, es lo más espectacular del edificio, lo caracteriza más el sentido ecléctico del arte de su tiempo, ese estilo morisco, con arabescos en los balcones, de los palcos, en los artesonados de sus cubiertas de los paneles y hasta en la gran lámpara central y en el enorme arco de herradura del escenario. El tema del telón es una pintura que representa a Constantinopla (...) los palcos, así como el *foyer* y los salones para fumadores y tocadores para damas, estaban cubiertos en sus muros por papel tapiz que, por estar casi destruido, fue sustituido por pinturas idénticas con plantillas tomadas de los trozos que se conservaban enteros, y con los mismo tonos: fondo carmesí y dibujos dorados".

Teatro Principal

El 24 de enero de 1788, los señores Miguel Zendejas y Miguel Francisco Hernández pidieron permiso a las autoridades virreinales de la intendencia de Guanajuato para poder construir un teatro. No era para menos, la bonanza derivada de la explotación minera gracias a la apertura de las fronteras comerciales hispanas, obligaba a que tan señorial ciudad contase con un lugar de representaciones.

Bajo este estímulo, los señores Zendejas y Hernández se comprometen a terminar lo más pronto posible su proyecto y escogen la calle Cantarranas para erigir el teatro. Asimismo, las autoridades ven con beneplácito el próximo teatro en la ciudad y designan a dos regidores del Ayuntamiento para que inspeccionen el lugar y pronuncien un dictamen sobre lo propuesto. El 28 del primer mes de 1788, el intendente don Andrés Amat y Tortosa y el cabildo otorgan la licencia de construcción para un corral de comedias. Su construcción se comenzó de inmediato y estaba erigido el mes de abril, cuando fue su inauguración.

El sitio contemplaba los requisitos necesarios para que se llevasen a cabo en su interior representaciones escénicas de la época. Y, como todas las construcciones, tuvo su esplendor y luego decayó. Durante la revolución de Independencia, el edificio es totalmente abandonado y destruido. Luego, durante la Reforma, se decide reconstruir sobre los vestigios. Esto ocurrió durante el año de 1826 y durante esta época fue considerado un teatro importante de México. Durante las altas y bajas, consecuencia de la inestabilidad política del país, vuelve a caer en el deterioro. Más tarde, en 1831, amenazado de destrucción total vuelven a reconstruirlo. Su proscenio, el foro, sus butacas dieron la bienvenida a todo tipo de público: el pueblo, la aristocracia, visitantes nacionales y extranjeros, políticos de todas las ideologías, como Don Benito Juárez, que asistió la noche del 19 de enero de 1858 –el día que llegó a Guanajuato– junto con su gabinete a la representación en turno. Tan digno visitante repitió su visita días después. Pero también, cuando Juárez salió de la región guanajuatense, los conservadores Osollo y Miramón asistieron al Teatro Principal.

De esta manera el Teatro Principal prosiguió con su tormentosa vida durante el Siglo XIX y ya en esta centuria, en 1921, se convirtió en sala de exhibición de cine comercial para, posteriormente, quemarse y quedar como baldío durante muchos años hasta que en 1955 se volvió a erigir sobre sus vetustos cimientos y fue reinaugurado el 16 de septiembre de ese año. Es importante señalar que la ciudad de Guanajuato, siendo sede de tan importante evento como el Festival Cervantino, cuenta con otros recintos teatrales como el Cervantes, el de la Escuela de Minas y el de la Escuela Normal Primaria. Además, son significativas sus calles y callejones que suelen acoger a los amantes del teatro, de las representaciones y de la música.

Teatro Cervantes

Teatro de la Normal

Mercados

Mercado Hidalgo

A ntaño existía el mercado de la Reforma, al ser este insuficiente, en 1904, la legislatura estatal autorizó al gobierno del Estado construir otros más. Sobre los restos de la vieja plaza de toros de Gavira, se proyecta construir un nuevo mercado.

Con interrupciones y adquiriendo y derribando fincas para aprovechar el terreno, el 15 de enero de 1909 se puso la primera piedra del mercado Hidalgo. El 16 de septiembre de 1910 se inauguró como parte de los festejos conmemorativos del primer centenario de la iniciación de la Revolución de Independencia mexicana. Como dato económico, el costo total de su erección fue de 221,879.89 pesos.

Arquitectura

E ste edificio tiene una longitud de 70 m y 35 de fondo. Su techo es una gran bóveda metálica, coronada por esbelta y puntiaguda torre con reloj de cuatro carátulas. Al frente, y como entrada principal, tiene una majestuosa portada en alto y abierto arco de cantera rosa guanajuatense. El mercado Hidalgo es un ejemplo clásico de la arquitectura porfirista que, además de buscar la practicidad en los edificios, se tenía clara idea de la ostentación y cierto estilo europeizante.

Panteones

Panteón Civil

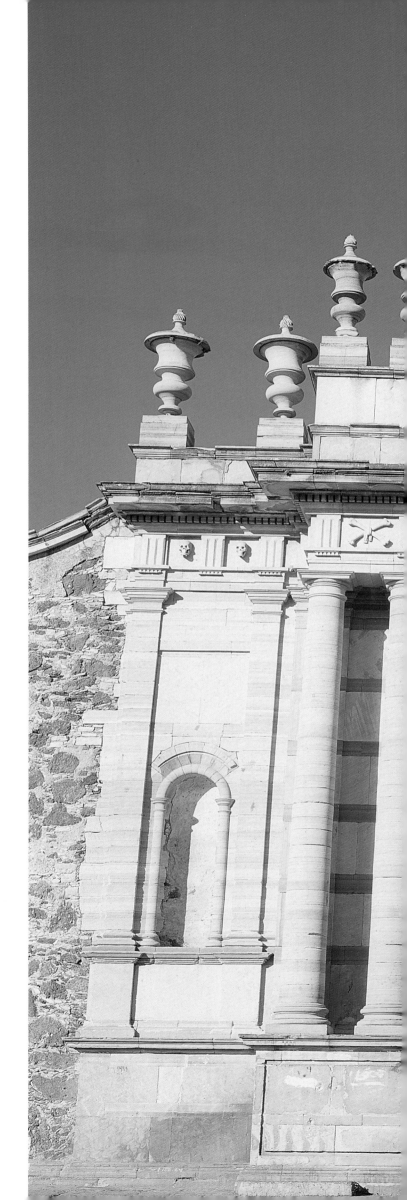

E l 30 de agosto de 1853 el ayuntamiento solicitó al gobierno del Estado licencia para realizar un cementerio que estuviera acorde a las necesidades de la ciudadanía. Es decir, una necrópolis más amplia y acondicionada. El panteón se proyectó en las faldas del cerro Trozado.

Dicha solicitud tuvo un gran quórum, ya que sólo existía el viejo panteón de San Sebastián, para uso de la capital del Estado. Amén de que existían el de San Cayetano y el de San Agustín, éste último para uso exclusivo de los extranjeros.

Treinta años tardó en ser estrenado el moderno panteón, gracias a las cuestiones administrativas y políticas que vivía en ese entonces el país y la región. El sacrosanto campo se inauguró solemnemente el 13 de marzo de 1861.

A la magnífica circunstancia de su orientación y topografía del sitio se suma, además, la histórica y curiosa atribución de conservar muchos cadáveres perfectamente momificados y cuenta con una colección sugerente y extraña. Es por ello que el panteón también es un museo, un museo por todos conocido, donde se ubican las famosas "Momias de Guanajuato".

Panteón de San Sebastián

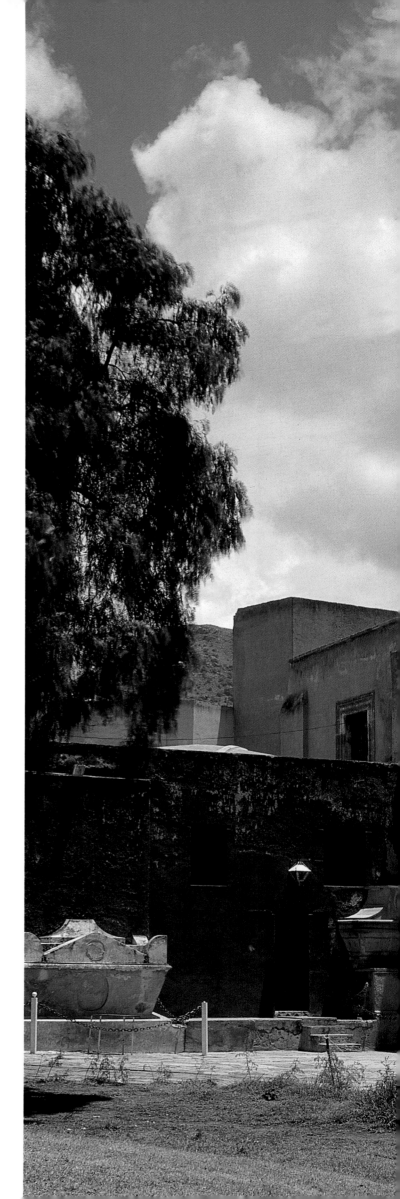

En el año de 1872, un señor de apellido Moratín, con la ayuda de las limosnas de la comunidad logró construir un templo, que se encuentra en el interior del camposanto y se le atribuye al Siglo XVIII la construcción de este panteón, añejo e histórico de la región.

Al ser colgadas las cabezas de los héroes de nuestra Independencia en los cuatro costados de la Alhóndiga de Granaditas, éstas pasaron a reposar en nichos dentro del panteón de San Sebastián. Allí reposaban las cabezas de Hidalgo, Allende, Aldama y Jiménez.

San Sebastián dejó de prestar sus servicios mortuorios a partir del año de 1861, al inaugurarse el actual, en Tepetapa. No obstante, muchas de las criptas y tumbas del añoso panteón existen aún, sobre todo las de la segunda mitad del Siglo XVIII y del XIX. Allí yacen los restos de connotadas personalidades guanajuatenses. La arquitectura de este sitio conserva el estilo mortuorio de la época.

Presas

Presa
de la Olla

Dada la escasez de agua que sufría la ciudad de Guanajuato en 1741, se tomó la decisión de construir una presa que aminorara dicha circunstancia. El cabildo aprobó la obra y se escogió el rancho de la Olla para hacerla, que se encontraba en los límites de la villa.

La mitad de lo aportado para realizar esta obra comunitaria fue donada por el señor Sardaneta y Legaspi, dueño de la mayoría de las acciones de la famosa mina de San Juan de las Rayas. Sin haber estado concluida la edificación, la presa se llenó, por primera vez, en 1747, y de esa forma la población contó con el preciado líquido. La Presa de la Olla quedó totalmente terminada hacia el año de 1749, y con tres metros y medio menos de altura en su cortina actual.

En 1795, el intendente Riaño, apreciando la belleza del paisaje en donde se encontraba la Presa de la Olla, se le ocurrió promocionar un paseo por los alrededores y para ello construyó un camino para coches que unía al sitio con la ciudad, y se edificaron dos puentes que llevaron los nombres de San Juan y Santa Victoria, haciendo alusión a los nombres de la pareja Riaño.

En 1832 se pensó entubar el agua de la presa para poder conducirla al corazón de la ciudad y esto fue lo que le propuso el ayuntamiento al vecino millonario don Marcelino Rocha. Pero dicha renovación no tuvo frutos sino 17 años

después. Pasó mucho tiempo para que se construyeran las fuentes en los parques citadinos que recibirían el agua, para ser distribuida, mediante pago o venta, a los usuarios.

De cualquier forma en 1849, se aumentó la cortina de la Presa Grande o de la Olla. Ésta fue inaugurada en 1852, y sobre los bordes de su majestuosa cortina podían transitar cómodamente los carruajes. Ya que fue depósito de agua, estuvo

a punto de venirse abajo pues su calicanto no se había endurecido lo suficiente, por lo que, violentamente, fue vaciada para construirle un contracimiento en la parte de adentro. En la construcción de la elevación de la cortina se le incluyó el ornamento de grandes balaustradas y lunetas.

En 1867 se construyó en predios abajo de la Presa de la Olla un puente para unir ambas calzadas y llevó el nombre de Santa Paula; las

autoridades vieron a bien el paseo y colocaron faroles alimentados por aceite que daban una luz excelente a los paseantes nocturnos. Asimismo, se instaló el molino de harina de Santa Gertrudis, que en su momento era muy moderno ya que su movimiento se producía por vapor.

En 1868 se vuelve a levantar un metro el calicanto de la cortina captando con ello mayor agua y haciendo más atractivo el paseo. La Presa de la Olla continuó dando el importante servicio hasta 1894, cuando se construyó la presa de La Esperanza. Más o menos durante la época que se erigió la Presa de la Olla, también se llevaron a cabo varias iniciativas para edificar otras presas, como la Presa de Pozuelos, en la cañada de Ponce, que surtía agua a Santiago de Marfil y a la hacienda de Pardo; un siglo después se construyó la Presa de San Renovato, un poco más arriba que la de la Olla.

Noria Alta

Presa
de los Santos

Casi todas las haciendas estaban dotadas de servicios hidráulicos, con sus norias constituidas por fuertes torres de aspecto feudal, de las cuales arrancaban atrevidos acueductos que conducían las aguas a los sitios de laborío.

Durante el Siglo XVIII se construyó la presa de Los Santos, con su coronamiento de pilastras rematadas en magníficas estatuas. La presa guarda una placa que dice: "Fue maestro de albañiles José Alejandro Durán. Se acabó el 7 de noviembre de 1778". Dicha presa correspondía a la Hacienda de Purísima y perteneció, en su última época, a don Francisco Castañeda, pero es muy probable que haya pertenecido a la familia Barrera, pues dice la tradición que entre las estatuas que ostenta, algunas representan a los santos patronímicos de sus hijos.

Presa de la Esperanza

Ante las innovaciones que había traído el porfiriato y con el auge económico, se pensó que era hora de edificar otra presa, más moderna y útil para la sociedad, ya que la de la Olla no era suficiente para toda la población. Y es así que a finales del Siglo XIX se resolvió fincar una nueva presa en la cañada de La Esperanza, a cinco kilómetros de la ciudad de Guanajuato, rumbo a la sierra. Quien diseñó y proyectó tal idea fue el Ing. Francisco Gleniee y la ejecución se quedó al mando del Ing. Ponciano Aguilar.

La obra se comenzó el 5 de mayo de 1887, con una sencilla ceremonia en la que colocó la primera piedra el gobernador del Estado, general Manuel González. En sus inicios, a esta presa se le nombró como al gobernador, pero dado que en su construcción colaboraron varios presos que fueron heridos y muertos durante el trayecto de la edificación, popularmente se le llamó "Presa de las lágrimas".

En 1893, durante el mes de abril, la presa quedó finiquitada y se ordenaron los trabajos de tendidos de tuberías por la ciudad entera: se colocaron hidrantes públicos y tres tanques que sirvieron de distribuidores del agua.

Al iniciar su servicio la presa tuvo una capacidad de almacenaje de dos millones de metros cúbicos de agua; contaba con una cortina de 34 m de altura por 166 m de largo y 7 de ancho, en su parte más alta, y 26 m en su base.

Dicha cortina está hecha con las hermosas canteras de la región, labradas todas y de color azul, verde, morado y jaspeadas. Esta presa fue inaugurada oficialmente el 16 de septiembre de

1894, y su eficacia ha sido comprobada hasta nuestros días, que es la surtidora de agua de la ciudad junto con la presa de La Soledad y los nuevos pozos.

El valor de la Presa de la Esperanza no sólo se finca en su labor de servicio sino también cuenta con atributos estéticos que la hacen verdaderamente una joya arquitectónica.

Haciendas

Hacienda de San Gabriel de Barrera

Poco se sabe de la casa de San Gabriel de Barrera, antiguamente conocida como Guadalupe de Barrera y hoy como Hacienda de San Gabriel de Barrera. Se dice que esta hacienda se dedicó a la señora Doña Guadalupe Barrera y Torrescano, esposa de don Antonio Obregón y Alcocer, primer conde de Valenciana.

El minero guanajuatense, hombre recio y de trabajo, devoto ferviente de sus laboríos, tenía un arraigo especial por los sitios de producción; por ello, lo íntimo, lo medular para él, era la hacienda de beneficio en donde transcurría lo más interesante y prolongado de su vida.

La hacienda de beneficio ha sido el punto de partida de un estilo, constituye el embrión de la arquitectura guanajuatense. El arte tenía dos centros fundamentales de desarrollo: el templo y la hacienda de beneficio, por ello ha sido catastrófica la destrucción de estos magníficos edificios que casi en su totalidad fueron demolidos. Esta es la única que existe.

Hacienda
de Corralejo

F ue fundada en 1755 por don Pedro Sánchez de Tagle, poseedor de títulos de Sargento Mayor del Tercio de los Milicios de México de la Orden de Calatrava, Pior del Consulado de México, y el título nobiliario de Marqués Consorte de Altamira.Don Pedro Sánchez de Tagle, fue el primer fabricante de tequila en México.

La Hacienda de Corralejo, ubicada en el municipio de Pénjamo, era de gran extensión, poseía 42 sitios grandes (cascos de la hacienda) y se le considera atinadamente histórica, debido a que en este preciso lugar nació el padre de la patria, Don Miguel Hidalgo y Costilla.

131

Hacienda de Jaral de Berrio

El origen de la Hacienda Jaral de Berrio se remonta a finales del Siglo XVI cuando don Juan de Zavala adquiere varias hectáreas en el Valle de San Francisco, donde llevó a cabo la crianza de ganado. En las primeras décadas del siglo XVII la hacienda ya contaba con casas habitación, cuadrillas, trojes y capilla. Sin embargo, era conocida como la Hacienda de San Diego.

El marqués de Jaral de Berrio fue dueño de minas y haciendas contiguas que se escalonaban desde Durango hasta Cuautitlán, de tal manera que sus ganados atravesando por campos propios, abastecían en parte a las ciudades del interior y a la capital.

La hacienda tiene un extraordinario valor arquitectónico por las dimensiones del conjunto, la excelencia del diseño, los decorados interiores y la calidad de construcción. Es sin duda, la más opulenta y admirable hacienda a nivel estatal.

La Casa de los Perros

La antigua Hacienda La Casa Grande o La Casa de los Perros se encuentra en el Municipio de Apaseo El Grande, y es uno de los más hermosos ejemplares de la arquitectura civil del siglo XVIII.

Construída en 1789 por el marqués de Herrera, Don Vicente de Herrera y Rivero del Corro y Gómez de la Madrid, y su esposa doña Ma. Dolores Romero de Terreros y Trebuesto III marquesa de San Francisco.

El interior de la casa es de ensueño, donde se entrelaza lo austero y lo sensual, joya arquitectónica del barroco mexicano donde personajes como Maximiliano de Austria, José Maria Morelos y Pavón, el cura Hidalgo, Agustín de Iturbide, la Güera Rodriguez entre otros, pasaron por aquí.

Edificaciones Públicas

Palacio del Poder Legislativo

Antes de la segunda mitad del Siglo XIX este sitio fue ocupado por las fincas de los marqueses de San Clemente –primero– y, después, por los condes de Valenciana. Posteriormente, albergaron oficinas públicas del gobierno del Estado.

Para que tomaran posesión los burócratas hubo que pagar la cantidad de 42,000 pesos, y esto sucedió en 1896; un año después se comenzó a demoler para construir el nuevo Palacio de gobierno. Para poder erigir el nuevo palacio, tuvieron que dejar sus oficinas la Administración General de Rentas, que se ubicó en la calle de Truco; el recinto de la Cámara de Diputados que se cambió a la Casa de gobierno (ahora Presidencia Municipal) y el Supremo Tribunal de Justicia, que fue removido a una finca de la Plaza Mayor (ahora Plaza de la Paz).

Después de cuatro años de comenzar la demolición y de construir los cimientos, el Palacio del Poder Legislativo se inauguró el 30 de octubre de 1900. Allí se asentaron los tres poderes del Estado. Quien diseñó y construyó tan majestuoso edificio fue el arquitecto don Luis Long, auxiliado por Claudio Molina y Nicolás González (pintores doradores); Luis Pizzeta y Bartolomé Binaghi (pavimentadores) y Jorge Unna (ebanista y tapicero). Esta magna construcción tuvo un costo de 150,403 pesos, incluyendo su decoración y equipamiento.

Arquitectura

Este bello edificio, de corte totalmente afrancesado y porfirista, tiene una fachada forrada con buenas canteras de la región, de colores verde, rosa y morado. En el primer cuerpo tiene

sencillos almohadillones de piedra verde, con una rica decoración en la puerta; el segundo cuerpo cuenta con medios pilares dispuestos simétricamente adosados a las paredes, con cinco ventanales entre ellos, decorados por áticos y helénicas cabezas como clave, con fuerte pero elegante cornisa coronada por una balaustrada que, en su parte media, tiene un *cartouche* para la bandera nacional.

El pavimento de patios y andadores son mosaicos romanos, así como el muro frontero del primer descanso de la escalera principal, donde se encuentran al centro el escudo de la Ciudad y Estados, a sus dos lados el de la Nación.

El Palacio cuenta con una escalera que se bifurca en dos y conduce de la planta baja a la segunda, con escalones monolíticos de gran tamaño. En esta planta se encuentra la sala de sesiones de la Cámara de Diputados, que es notoria: su salón mide 30 m de largo por 8 de ancho, es iluminado por cuatro candiles de cristal cortado y 500 lámparas en línea en todo lo alto del techo.

El piso cuenta con finas maderas y el techo con láminas sumamente decoradas; sus paredes son simétricamente estucadas y empapeladas con vivos en oro. La decoración de tan majestuoso recinto cuenta con obra que retrata a los héroes nacionales; con un moblaje de principios de siglo y destaca el lugar central de la Presidencia de la Cámara.

Sus curules son de finas maderas, coronado con un dosel que tiene en su parte superior el águila nacional tallada de madera; con elegantes y finos cortinajes con cordones y borlas de seda color verde. La butaquería para uso de los espectadores también es de finas maderas y acorde con el resto de la decoración.

Fachada Presidencia Municipal

Salón de Cabildos de la Presidencia Municipal

Urbanismo

Calles

Calle Padre Belaunzarán

El Presidente de la República, Lic. Miguel Alemán Valdés, inauguró esta obra urbana el 16 de septiembre de 1951. La realización de esta construcción tuvo como origen los desastres que ocasionaba el río que atraviesa la ciudad. Anteriormente las autoridades locales buscaron diversas soluciones para limpiar las inmundicias que el río dejaba en la urbe. Por algún tiempo se les permitió a los vecinos construir sobre su techo abovedándolo, y de esta forma se iría cubriendo. Muchos hicieron caso del ofrecimiento y ganaron terreno para sus fincas, pero otros, no pudieron o no quisieron hacerlo, así que el río iba descubierto en varias partes. El cauce llevaba aguas pluviales, pero también servía de cloaca mayor de la ciudad. Era, evidentemente, un foco de infecciones, maloliente y antihigiénico.

También, la proyección de la calle se pensó porque a finales de la década de los 40 de este siglo, el tránsito vehicular y peatonal de la ciudad había aumentado: para ir del centro de la ciudad a los barrios de "Pastita" y de la Presa de

la Olla sólo había una vía, se tenían que transitar las calles de Sangre de Cristo y su prolongación de Los Desterrados, ambas eran muy estrechas. Por lo tanto, no había camino para subir y bajar de los puntos antes descritos. Por esta razón, el gobierno del Estado decidió entubar el río desde el callejón del Chan —en el jardín Francisco I. Madero (popularmente llamado "jardín del Puertecito")— hasta la Plaza de San Pedro (ahora Plaza Allende) y, sobre el entubado, construir una calle, aprovechando los paredones que lo limitaban.

En el tradicional guanajuateño Día de la Cueva (31 de julio de 1951) la calle quedó abierta para el pueblo mediante una ceremonia realizada en la Plaza de San Pedro, calle que quedó abierta y en uso de los transeúntes. Para después ser inaugurada oficialmente por el señor Presidente.

La calle lleva el nombre del héroe que impidió que Calleja llevara a cuchillo al pueblo guanajuatense, éste es un homenaje a fray José María de Jesús Belaunzarán y Ureña.

Con la decisión gubernamental se enalteció la belleza de la ciudad, desechando la basura que la cubría.

Calle Miguel Hidalgo

A l ver los resultados que dio la Calle Belaunzarán, el gobierno del Estado tomó otra sabia decisión: entubó todo el río que atraviesa la ciudad e hizo sobre su cauce la calle Miguel Hidalgo.

Esta vía comenzó a realizarse por el lado de la salida del río, el 9 de septiembre de 1963; tiene una longitud de 2,870 m, va desde la Plaza Allende (antes de San Pedro) hasta la Plaza Hidalgo (en el barrio de La Libertad, conocido popularmente como "Los Pastitos"); tiene 34,260 m² de superficie, cruzada por 127 arcos, algunos sostienen puentes públicos o privados, además de varias rampas y entradas en lugares estratégicos, para acceso vehicular y de caminantes.

En la cultura popular guanajuatense, estas dos calles, reciben otros nombres como: "calle nueva", "calle de abajo", "calle subterránea", "calle sin puertas" o "calle del río". Ambas vías son únicas en el mundo, tanto por el servicio que dan a la comunidad como por su belleza, dan el sentido de rareza y atracción por su sentido medieval, época que no se vivió por estos lares del Bajío.

Calle de San José

Callejón Calixto

Puentes

Puente de Tepetapa

Esta es una magnífica construcción del año de 1835. Y se puede apreciar su grandiosidad desde la entrada a la ciudad por la calle Miguel Hidalgo, que se encuentra al principiar el populoso barrio de Tepetapa, y al terminar la calle Juárez —antes Calzada de Nuestra Señora de Guanajuato—.

Su construcción se realizó con fondos municipales y se comenzó a principios de 1830. Durante estos inicios, comienza el camino nuevo o "camino de arriba", que era la vía que comunicaba a la ciudad con el laborioso Marfil. La obra de este puente quedó bajo la vigilancia del procurador del ayuntamiento, don Ignacio Urbina.

Este puente tuvo muchas peripecias en su construcción: para el mes de mayo, su realización avanzaba, se le había hecho un alto y fuerte pilar en medio del río, de donde nacían dos arcos hacia los extremos, que casi estaban terminados. Desgraciadamente, los constructores encontraron en las bóvedas "una abra", que en ese momento no causó gran alarma. Sin embargo, para junio 26, esta grieta había crecido considerablemente. Este hecho preocupó a los administradores de la municipalidad y ordenaron la suspensión temporal de los trabajos y llamaron a un especialista, al arquitecto Juan de Dios Pérez, que radicaba en Lagos, Jalisco, para que diera un veredicto y prosiguiera con esta obra monumental.

El alarife Pérez se dejó venir a la ciudad de Guanajuato y después de estudiar la falla y el resto de lo construido, dictó su veredicto: el puente estaba totalmente mal hecho. La abertura aparecida en los arcos obedecía a que el pilar central se había sentado sobre arena y no en terreno firme, por lo que al descimbrar las bóvedas, éstas se vendrían abajo. Así que el alarife propuso como solución que se derribara lo construido, principalmente los arcos y el pilar central, y que el puente se erigiera sobre un solo y largo arco.

El ayuntamiento ponderó las propuestas de don Juan de Dios Pérez durante dos extensas sesiones, concluyeron que era necesario aceptar el proyecto propuesto por el alarife y finalizara las obras del puente, aunque ya había sido propuesto el famoso constructor Luis Zapari.

Se efectuó la destrucción y en enero de 1831 se iniciaron las obras del puente de Tepetapa con la dirección del don Juan de Dios, pero poco duro el gusto; por falta de fondos se suspendió la obra pero se reiniciaron más adelante. Ante el déficit presupuestario, la presidencia municipal objeto los números y decidió que el resto estaría bajo su comandancia.

Finalmente el 26 de diciembre de 1835 se terminó la construcción de tan importante puente guanajuateño y su costo fue de 48,566 pesos, seis reales y tres octavos.

Puente
del Campanero

E ste puente es del gusto popular y del turismo. Es de los pocos que no se encuentran en las orillas del río, sobre la calle del mismo nombre y conduce a una sola casa.

Cuando se rebajó, casi dos metros, la cuesta del Campanero en 1844 para poder permitir el paso de carros, no fue suficiente la cantidad que se rebajó y en 1878, la vuelven a rebajar unos cuantos metros más. Las casas que se encontraban allí quedaron en muy alto nivel y no se podían abrir las puertas, por ello es que se tuvieron que rebajar hasta quedar a la misma altura y se tuvo que hacer el puente en esta calle. Corre desde la calle del Tecolote hasta la casa que en aquellos tiempos era de don Mariano Vallejo Balbuena y que, probablemente 80 años atrás, perteneció al intendente Riaño.

Plazas

Plaza de la Paz o Plaza Mayor

E sta plaza es sitio de reunión de los guana-juatenses desde los tiempos inmemoriales de la Nueva España y es, sin objeción, el lugar comunitario más antiguo de la ciudad.

La Plaza Mayor de Guanajuato cuenta con todos los elementos clásicos de la época, a pesar de tener una forma irregular; cuenta con portales –los actuales de los arcos–; templo principal –hoy la Basílica–; casas reales –hoy la Presidencia Municipal–; y el espacio céntrico era usado como mercado. Desde el periodo colonial y hasta el siglo pasado, sus alrededores eran ocupados por casas habitación de personajes renombrados como los marqueses de San Clemente, el conde de Valenciana, el conde de Casa Rul, los condes de Pérez Gálvez, la familia Alamán, la familia Chico y otros aristócratas de la región y de diversas épocas.

La plaza está comunicada con el resto de la ciudad por las calles y callejones de San Diego o Cruz Verde, el pasaje de los Arcos, de la Tenaza, de Zapateros, de la Condesa, Cuesta del Marqués y La Estrella.

La Plaza de la Paz o Plaza Mayor ha sido escenario de muchos momentos espectaculares de la ciudad, tanto buenos como malos. En ella se realizaron los motines del pueblo minero guanajuatense en 1766, contra las disposiciones injustas del virreinato. En 1810, Riaño, trató de hacerse fuerte en esta plaza para esperar a Miguel Hidalgo. El mismísimo cura independentista transitó por ella calmando las huestes que estaban entregadas a la rapiña, después del triunfo contra los realistas. Don Benito Juárez recorrió la plaza en 1858, cuando declaró a Guanajuato la ciudad capital de la República.

En 1852 fue embellecida por una estupenda fuente, dedicada a la Virgen de Guadalupe. De ella emanaba agua, entubada desde la Presa de la Olla, y era destinada al suministro público. En el perímetro de dicha fuente se sembraron varios árboles, para que diesen sombra y frescura al lugar.

El jardín se sembró alrededor de 1886, y fue iluminado por farolas de petróleo. En 1893, la hermosa fuente fue trasladada a la Plazuela del Baratillo, donde actualmente se encuentra, y en 1895 se destruyó el jardín para dar paso, en 1897, a la construcción y montaje del monumento de la Paz y jardín que lo circunda. Dicho monumento fue obra del escultor nacional Jesús Contreras y costó 27,619.93 pesos. Este monumento dedicado a la paz fue inaugurado por el Presidente de la República de entonces, don Porfirio Díaz, el 27 de octubre de 1903.

Plazuela del Ropero

En este bello rincón se localiza otra fuente que vierte el líquido por cuatro brazos en forma de cruz acostada, el agua es recibida en una pila de cantera, como todas las de Guanajuato, y donde se espejean las líneas de los edificios que la circundan.

Parques y Jardines

Parque Florencio Antillón

Don Froylán Jiménez, en 1880, propuso plantar un jardín en el terreno que quedó para plaza, abajo de la cortina de la Presa de la Olla. Ese mismo año se ensanchó el puente y la calle existentes, fuera de la hacienda de San Agustín. Hacia 1883 se construyeron amplias y cómodas banquetas que iban desde la hacienda de San Agustín hasta la presa, ello obligó a los propietarios de casas y fincas cercanas a que hicieran bajo tierra los desagües de sus propiedades.

A mediados del año de 1894 comenzaron los trabajos de tendidos de cables, desde el Jardín de la Unión hasta la Presa de la Olla, ya estaba llegando la luz eléctrica a estos sitios. Se inició tal servicio público el 19 de agosto de este mismo año. Un año después, se cerró con un túnel el conducto abierto que había desde la compuerta de la presa de San Renovato hasta la cola de la presa de la Olla, esta mejora se inauguró en el 96, que ayudó a que se plantara en este sitio un bello jardín.

Desde tiempos inmemoriales el Paseo de la Olla ha constituido un camino de solaz esparcimiento para la población guanajuatense, además de ser uno de los barrios más atractivos de la ciudad. Cuenta con estas dos maravillosas presas, una magnífica calzada bordeada de casas de estilo porfiriano, y se suma a ello el paisaje de las montañas que la rodean; y dos jardines monumentales que invitan al retiro y a la meditación.

Parque Reforma

Jardín
de la Unión

En la época de la Colonia en este lugar se ubicaba la Plaza de San Diego, ahí estaban el convento y el templo de esa orden. Dicha plaza era, regularmente, un tianguis y en las festividades tradicionales u ocasionales se construía en ella una plaza de toros temporal, arte al que estaban muy apegados los guanajuatenses novohispanos.

Desde entonces este había sido el lugar predilecto de la comunidad para dar paseos y reunirse; además de que, en sus inmediaciones, se habían reunido el famoso padre Belaunzarán y Félix María Calleja, para pedirle que no degollara a los insurrectos de 1810.

Más tarde, en 1836, se plantaron los primeros árboles del jardín, que fue una serie de fresnos en línea. La ciudad crecía, y se fueron erigiendo jardines y plazas para el gusto comunitario; en 1861, se construyó lo que ahora es el jardín, por así decirlo. Se le ubicó, rodeándolo, una luneta de piedra con bancas adosadas a ésta, dejando puertas para su entrada. Se le sembraron diversas especies vegetales para ornamentarlo y se instalaron farolas alimentadas con aceite, que daban una bella iluminación nocturna. Durante ese año se inauguró y se le nombró Jardín de la Unión, como hasta ahora se le conoce. Como dato curioso, fue el primer lugar público que tuvo luz eléctrica; se construyó un kiosco, se derribó la cerca e instalaron bancas de fierro, a principios del Siglo XX.

Este es un jardín típico de la provincia y es lugar obligado para la convivencia en el corazón de la misma ciudad de Guanajuato. Es un sitio de dimensiones pequeñas, por lo que da la sensación de intimidad, sumándose a esto la belleza de sus prados bien delineados y cuidados, de sus laureles pintorescamente recortados, donde se respiran aires de tranquilidad y sosiego.

Jardín DIF Municipal

Parque del Cantador

A mediados del siglo anterior (S. XVIII), vivía en una pequeña y miserable casa situada a la orilla del río, en algún punto del terreno que ocupa hoy la alameda, un hombre pobre, casi un mendigo, que se llamaba José Carpio. Este desgraciado ganaba fatigosamente el sustento recorriendo diariamente las calles de la ciudad, llevando a cuestas una guitarra y presentándose en las casas donde era llamado para cantar acompañado de su instrumento. La naturaleza lo había dotado de una voz dulce y sonora, por lo cual llegaron sus favorecedores a ser numerosos y él mismo conocido por toda la población, que lo designaba con el nombre de "Carpio el Cantador" o simplemente "El cantador".

Es así como describe los orígenes de este parque don Lucio Marmolejo, cronista de esa época de la ciudad de Guanajuato. Pero la historia sigue, "El cantador", en medio de su pobreza, se aficionó al beneficio de los metales y "hubo de construir un arrastre junto a su casa y, habiendo sido favorecido por la fortuna, el arrastre se vino a convertir en un zangarro que, por el sobrenombre del propietario, se denominó por todos, zangarro del cantador. Carpio falleció y el zangarro pasó a mejores manos, y llegó a ser productiva y famosa hacienda de beneficio, pero conservó el mismo nombre".

Durante los avatares de la guerra de Independencia la hacienda cayó en las fauces del fuego y se convirtió en un lugar inmundo en donde venían a dar la basura y deshechos de la población, y a su alrededor se fueron formando casuchas y se le nombró barrio del Cantador.

Finalmente, en 1854 se comenzaron los trabajos de la alameda. Se plantaron varios fresnos, se hizo la luneta que la cercaba. Estos trabajos se llevaron a cabo muy lentamente y se suspendieron. Hasta 1861 se terminaron las obras de construcción y plantación de la alameda tan deseada, se rodeó con una calzada amplia que permitió el libre tránsito de coches.

En 1862 se construyó la fuente que está al centro del parque y en 1868, se erigieron cuatro glorietas con sus respectivas fuentes y lunetas en sus contornos y se entubó el agua de la Presa de Pozuelos para asegurar el riego de este parque. El 31 de mayo de 1902, por decreto número 71 del XIX Congreso del Estado, se le cambió el nombre de Parque del Cantador a Parque Porfirio Díaz, pero el uso común y popular resistió los embates administrativos y consiguió llevar su nombre popular.

Ya en este siglo, en 1957, fue atinadamente reparado y se guardó el diseño antiguo, respetándose el sitio de sus prados, fuentes, adornos y árboles añejos. En 1977 fue remodelado otra vez, y sí se cambiaron algunos de sus elementos: se puso al centro el kiosko, se canceló una fuente y parte del estanque, y se le anexaron cuatro pilas, entre otras renovaciones.

El Parque del Cantador forma parte de la historia de la Ciudad de Guanajuato y es partícipe de la vida misma de los pobladores. Es un parque añoso, de árboles ancianos y bellos, con rincones que traen recuerdos ancestrales. Es, en fin, un parque romántico.

Cultura

Universidad de Guanajuato

A l hacer mención de la ciudad de Guanajuato no se puede soslayar que ésta es eminentemente de estudiantes universitarios. La Universidad ha constituido parte esencial de la historia de la población; el ambiente universitario ha sido piedra de toque en las manifestaciones artísticas y culturales de los guanajuatenses. Es así que la Universidad es eje, por decirlo de alguna manera, de la vida social y cultural de Guanajuato.

En el año de 1732 llegaron los jesuitas a Guanajuato. En *La Razón de la Fundación del Colegio de la Santísima Trinidad de la Ciudad de Santa Fe Real y Minas de Guanajuato*, de autor desconocido, aparecen las primeras fuentes en donde se pueden ubicar los inicios de la Universidad. Allí aparece doña Josefa Teresa de Busto y Moya como promotora esencial de tan insigne fundación.

Ella propuso, para llevar a cabo el proyecto, que la institución contase con un rector, dos operarios y dos maestros, uno de gramática y otro "de leer y escribir".

Así, el 29 de septiembre de 1732, se llevó a cabo en la casa de la fundadora el acto inaugural. A tal convivio asistieron los nobles prominentes, los comerciantes, algunos funcionarios destacados y vecinos. "Fue el primer Rector del Colegio de la Santísima Trinidad el reverendo padre Mateo Delgado, y lo acompañaba el padre José Redona y el padre Bernardo Lozano, operarios, el Honorable Diego Camarena, maestro de gramática, y el honorable José Volado, maestro de primeras letras", es así como se describe en *Efemérides Guanajuatenses* de Lucio Marmolejo.

Tal cual, quedó establecido el Colegio de la Santísima Trinidad en la casa de doña Josefa y en la antiquísima capilla de los otomíes, primera iglesia que hubo en el casco de la ciudad. En sus inicios se impartieron clases de doctrina cristiana, que dieron como resultado conversiones y la pacificación de los mineros.

Finalmente, tras una serie de "politique-rías", envidias, y burocratismo, el ayuntamiento hizo la petición, en pleno, frente al Real Consejo para que se realizara la cédula real y pasara de ser un hospicio a un colegio. Dicha cédula se realizó el 20 de agosto de 1744, en San Ildefonso, por el Real Acuerdo y el Ilustrísimo Cabildo Eclesiástico de Valladolid. Su fundadora no pudo ver el fruto de sus esfuerzos, sin embargo, maestros, estudiantes y el pueblo en general organizaron una gran verbena para festejar dicho acontecimiento.

Más tarde, a la muerte del hijo de doña Josefa, don Ildefonso, quien murió sin un real y que no pudo continuar con las dádivas para el colegio, a su deceso dejó como herencia su biblioteca, que fue la primera de la Universidad.

Uno de los últimos rectores jesuitas edificó parte del colegio primitivo, que ahora está destinado a la Escuela de Relaciones Industriales de la Universidad, quedando la casa de doña Josefa sólo para habitación de los padres.

En la histórica *Pragmática de Carlos III*, emitida el 25 de junio de 1767, los jesuitas fueron expulsados de territorios españoles. El Colegio cerró sus puertas durante 18 años. Posteriormente, llegaron los felipenses, ellos se instalaron en los edificios que fueron de la Compañía de Jesús, abriendo otra vez sus aulas, bajo el nombre de La Purísima Concepción.

Durante la guerra de Independencia, el colegio estuvo en ruinas. El licenciado don Carlos Montes de Oca llegó como gobernador del Estado y ordenó, de inmediato, su reconstrucción. El 28 de diciembre de 1824 emitió un decreto para allegarse de fondos públicos y poder erigir el colegio, indispensable en la región. Cabe destacar que en el *interín*, el

colegio fue Casa de Moneda y gracias a las virtudes del gobernador Montes de Oca el edificio volvió a ser aula académica.

Por decreto del Congreso Constituyente del Estado, de fecha 29 de agosto de 1827, se determinó que la educación superior fuese costeada por el gobierno del Estado, "que se asignara una partida de 40,000 pesos para que la compañía anglo-mexicana de la Casa de Moneda se trasladase al edificio del Estanco".[7] Para tan importante hecho, se le pidió al Barón de Humboldt una colección de fósiles y los libros que formarían parte de la nueva biblioteca del Colegio. El Barón aceptó, y hoy forma parte del actual patrimonio del Museo de Mineralogía, gracias al gobernador Montes de Oca.

El colegio vivió las vicisitudes históricas por las que pasó la nación entera, y se mantuvo en pie contra todo pronóstico. Alrededor 1867, llegó a la gubernatura de Guanajuato un hombre que traería vientos liberales, don Florencio Antillón. Y es gracias a él que el Colegio recibió un mayor subsidio y apoyo. Por aquel entonces tuvo a bien designar como rector al ingeniero de Minas don Ignacio Alcocer. Ambos se propusieron darle excelencia académica y ampliar sus áreas de estudio. Por iniciativa de don Florencio Antillón, "el tercer Congreso Constitucional del Estado, en fecha 5 de enero de 1870, expidió la nueva Ley General de Instrucción Pública, conforme a la cual el establecimiento cambiaba su nombre al de Colegio del Estado".[8]

Casi una década después, llegó a Guanajuato el francés don Alfredo Dugès, doctor en Medicina por la Universidad de París. No se sabe a ciencia cierta cuál fue la razón de esta fructífera llegada, sin embargo, ello trajo a la universidad uno de sus eminentes catedráticos. Su labor se inscribió dentro de la reforma educa-

Adoración de los Magos
Cristóbal de Villalpando. Siglo XVIII

tiva promovida por Gabino Barreda, de naturaleza positivista. Y, con el apoyo del gobernador Antillón, formó el Gabinete de Historia Natural en el Colegio. Además del quehacer académico del científico francés, se suman la inteligencia, voluntad y servicios de don Vicente Fernández Rodríguez y don Severo Nava.

El boato y la bonanza del porfiriato fueron vividos por los pasillos y aulas del colegio; la revolución trajo el espíritu renovador del triunfo aparejado a la tragedia y la miseria; recibió en sus pasillos al presidente Cárdenas, y hacia el 5 de octubre de 1941, en el semanario *El Noticioso* aparecía el titular "Que se funde la Universidad del Centro". En el texto de la noticia se decía que el Colegio del Estado sería la base para crear el nuevo instituto. "Esta noticia denota que existían ya inquietudes y, tal vez, planes definidos para transformar al Colegio del Estado en Universidad. Recordemos que ya años antes se habían escuchado voces que pedían tal conversión"[9].

El 1o. de enero de 1944, el joven abogado don Armando Olivares Carrillo es nombrado, por el gobernador don Ernesto Hidalgo, director general de Estudios Superiores, cargo desde el cual habría de emprender la complicada misión de convertir al colegio en Universidad. El 16 de mayo de 1945, don Armando instaló el primer Consejo Universitario, integrado por distinguidos maestros.

Hubo, hasta nuestros días, muchos hombres que decididamente cumplieron la labor de maestros y universitarios eméritos guanajuatenses. Desde que su fundadora primigenia reunió las voluntades y el ahínco, se cumplen 265 años de la Universidad de Guanajuato. Su labor educativa y comunitaria se ve representada por varios campus en todo el Estado, facultades de gran envergadura, escuelas preparatorias y técnicas. La Universidad de Guanajuato sigue dando, briosa, egresados productivos y patriotas para el estado de Guanajuato y México.

La Inmaculada Concepción con Angeles Tributarios
Anónimo.

Patio del Colegio Nuevo, ahora Facultad de Relaciones Industriales

Entre el bello e histórico templo de La Compañía y el edificio central de la Universidad, el padre Ignacio Rafael Coromina, rector del colegio (1759) construyó la primera etapa del edificio.

Presenta portales en tres lados, cuatro arcos en el lado de acceso, siete paralelos a la nave del templo que, al fondo, se puede apreciar la escultura de la fundadora del Colegio, seis esculturas al fondo y, paralelo, el Auditorio Licenciado Euquerio Guerrero. "La topografía impidió completar el patio en el lado poniente; sobre el macizo rocoso se construyó una escalinata en el lugar donde hubo antes un callejón que subía al atrio y cementerio de la capilla de los indios otomíes (hoy Biblioteca Manuel Cervantes) y conectada con el camino a las minas (hoy Calzada de Guadalupe)"[10]. Desde el patio se puede observar un paisaje bello que consiste en la vista de la cúpula neoclásica del templo.

Escuela de Filosofía, Letras e Historia

L a construcción del edificio es cercana a la del famoso templo de San Cayetano. Dicha construcción se erigió para que albergara el convento de los frailes teatinos, quienes nunca vinieron a tierras guanajuatenses ya que las ordenanzas reales les impidieron su fundación. En 1867, sirvió como sede del Colegio de Santa María hasta que un temblor le hizo varios estragos y después fue utilizado como bodega, dispensario, cuartel y establo.

En 1934 el edificio quedó registrado como Monumento Nacional y en 1962, a través de decreto presidencial se cedió al gobierno del estado de Guanajuato un predio que incluía el ex convento y el templo; al año siguiente el edificio fue otorgado a la Universidad para su restauración y seis años después se instalaría allí la Facultad de Filosofía, Letras e Historia y el recinto del Archivo Histórico de Guanajuato, dado en custodia a la Universidad de Guanajuato.

En mayo de 1954 fue fundado oficialmente el Archivo Histórico de Guanajuato, cuando el rector, licenciado Antonio Torres Gómez, nombró director y encargado de su custodia al maestro J. Jesús Rodríguez Frausto. No hay que perder de vista que una década antes, el ayuntamiento de Guanajuato había entregado a la Universidad el archivo municipal, para su estudio, conservación y difusión. Y ya en 1977, el archivo histórico se integró a la Escuela de Filosofía, Letras e Historia. Se accede al Archivo por el segundo patio del ex convento de Valenciana.

El patrimonio con el que cuenta el archivo es vastísimo y conservado con todas las normas que tienen que obedecer a un recinto bibliográfico. Allí se pueden consultar microfilms del Archivo General de Indias sobre la historia colonial de Guanajuato. El acervo abarca de 1557 a 1940 y está organizado en 27 grupos documentales que son fácilmente consultados.

Fachada de la Escuela Normal

Fachada de la Escuela Normal

Festival Cervantino

Hoy por hoy el Festival Cervantino es un hecho cultural de relevancia nacional e internacional, pero tiene un inicio romántico, de ímpetu artístico paralelo a una voluntad creadora y esforzada. La semilla germinó en 1952, cuando el teatro universitario comenzó sus actividades, bajo la rectoría de Antonio Torres Gómez. Su primera experiencia se llevó a cabo en el Teatro Juárez dando una demostración del curso de Teoría y Práctica de Actuación de la recién nacida Escuela de Arte Dramático de la Universidad de Guanajuato.

Posteriormente, montaron *Arsénico y Encajes* de J. Kesselring. Así, el entusiasmo de sus participantes se empeñó en realizar un homenaje al "Príncipe de los Ingenios", Miguel de Cervantes Saavedra, con la puesta en escena de *Los Entremeses Cervantinos*. El 20 de febrero de 1953 se presenta a un público general, es decir, al pueblo.

Los Entremeses Cervantinos fueron y son la mejor expresión del Teatro Universitario de Guanajuato. Este ideal que se transformó en quehacer artístico, es un hecho histórico que tiene ya 46 años de existencia. Como lo expresara don Bernardino Aguilar en un discurso "...un comentarista habría de expresar desde tierras de España: 'a Guanajuato y a su pueblo, a su Universidad y a su Gobierno, les quedará para siempre la gloria de haber evocado de una manera magistral y personalísima la obra teatral de Cervantes y de haber proporcionado a millares de personas, la suerte de presenciar este casi soñado renacimiento".[11]

Corría el año de 1971, era presidente de la República don Luis Echeverría Álvarez, quien había participado en el grupo de estudio "El Venado", en la época que había vivido en Guanajuato y conocía muy bien a Enrique Ruelas. Así, el jefe del Departamento de Turismo propuso organizar el Festival Cervantino en el marco de las celebraciones del Año de Turismo de las Américas, en 1972.

Se realiza en Guanajuato el Coloquio Cervantino, evento académico de gran altura, en el que se da cita el pensamiento de vanguardia de distintos países del mundo.

Su promotor y director, el maestro Enrique Ruelas, estuvo al frente del grupo ininterrumpidamente hasta 1987, año en que murió, y al cual se le debe esta realización magna. Actualmente bajo la atinada dirección del maestro Sergio Vela, la tradición continúa dando la oportunidad a las generaciones venideras de acercarse a todas las expresiones artísticas

Museos

Museo de Mineralogía

El museo se encuentra actualmente en la Escuela de Minas de la Universidad, situada en la carretera panorámica, a la altura de la hacienda de San Matías. Sus inicios datan desde que se comenzó a dar la cátedra de la carrera de Ingeniería de Minas, el 29 de junio de 1798. Su colección se formó con ejemplares de las Minas de Guanajuato, en 1824 y gracias a don Carlos Montes de Oca que, en su momento, hiciera el histórico encargo al barón Alejandro de Humboldt de recolectar muestras para poder conformar una colección respetable para la Universidad.

El museo tiene actualmente en su haber 20,450 ejemplares clasificados. Todos ellos están divididos en colecciones, que permiten una observación y estudio metodológico, al tiempo que le dan acceso a los neófitos de entender y darle un seguimiento al acervo general del sitio. Es importante destacar que para la conservación de tan preciada colección es fundamental que las piezas se encuentren salvaguardadas bajo capelos, cajas de vidrio y vitrinas. El visitante no puede tocar tan valioso patrimonio de la Universidad y del pueblo de Guanajuato.

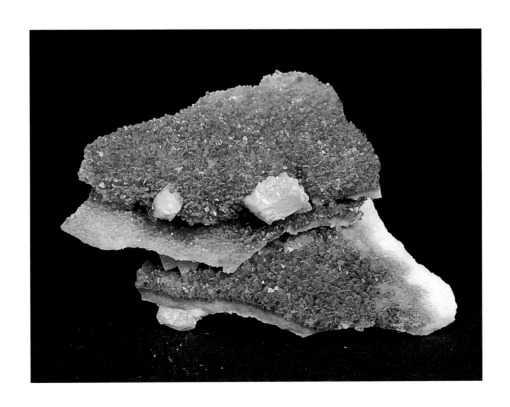

Alhóndiga de Granaditas o Museo Regional

Al fundarse la ciudad de Guanajuato, y en la medida que la riqueza metalúrgica iba en crecimiento, se hacía necesaria la creación de locales que dieran un servicio eficaz en la región y carecía de almacenes donde guardar semillas. Oficialmente estos inmuebles aparecieron hasta principios del siglo XVIII.

La primera alhóndiga estuvo en la segunda calle de Alonso, cerca a la posterior plaza de Constancia. La bodega estaba muy cerca del río y, por lo tanto, las semillas se humedecían por las constantes inundaciones que padecía la región. A finales de ese siglo, el intendente Juan Antonio de Riaño tuvo la idea de construir otra en un lugar seguro y con las características necesarias para mantener lo almacenado en buenas condiciones, así se lo hizo saber al cabildo guanajuatense y en 1793 el procurador del ayuntamiento presentó a este funcionario una iniciativa para la construcción de una nueva alhóndiga.

Tres años después tuvieron a la vista el proyecto y el plano de la construcción. Éste fue aprobado y turnado para su aceptación al virrey de la Nueva España, que dio su anuencia para que se llevara a cabo la edificación con el presupuesto presentado, que se redondeaba en 164,775.00 pesos.

Después de que se efectuara la fase teórica, se tenía que prever el terreno en donde se erigiría tal construcción. En diciembre de 1797 se adquirieron 20 casas en terrenos de la antigua hacienda de beneficio, propiedad de María Ignacia Setuche, Jacinto Cervantes y Antonio Mendizábal. Una vez demolidas las construcciones existentes, se dio principio a la obra en el mes de enero de 1798 y se terminó el 7 de noviembre de 1809.

Ante la belleza del edificio el señor padre del historiador Lucas Alamán, la nombró "Palacio del Maíz", y este mismo historiador, que presenció en su juventud la construcción y terminación, lo describe de la siguiente manera: "El edificio es un cuadrilongo, cuyo costado mayor tiene ochenta varas de longitud. En el exterior no tiene más adorno que las ventanas prácticas en lo alto de cada troje, lo que le da un aire de castillo (como posteriormente lo llegó a nombrar el pueblo) o casa fuerte, y lo corona un cornisamento dórico en que se hallan mezclados con buen efecto, los dos colores verdioso y rojizo de las dos clases de piedra de las hermosas canteras de Guanajuato.

Alfeñique (dulce popular)

En el interior hay un pórtico de dos altos en el espacioso patio; el inferior, con columnas y ornato toscano y el superior, dórico, con balaustres de piedra en los intercolumnio. Dos magníficas escaleras comunican el piso alto con el bajo, y en uno y otros dispuestas trojes independientes unas de otras, techadas con buenas y sólidas bóvedas de piedra. Tiene este edificio, al oriente, una puerta adornada con dos columnas y entablamento toscano, que le da entrada por la cuesta de Mendizábal; ... en la plazoleta que se forma en el frente del norte, donde está la puerta principal, adornada como la de oriente..."

Mural *La abolición de la esclavitud*
José Chávez Morado

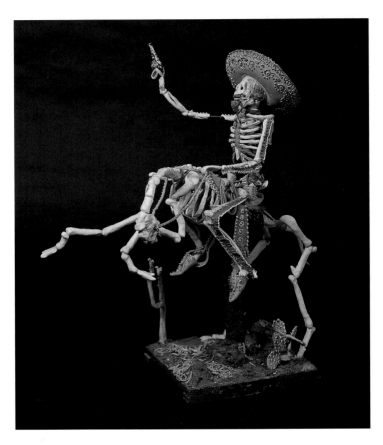

Alfeñique (dulce popular)

El 28 de septiembre de 1810 la Alhóndiga sirvió de refugio a los hispanos comandados por el intendente Riaño, ante el inminente ataque de los mexicanos insurrectos dirigidos por el cura Hidalgo. Batalla cruel y despiadada se verificó allí, por ambos contendientes; sobresaliendo la valentía de los mineros guanajuatenses que se unieron al Padre de la Patria, contingentes del Bajío que formaban el grueso del ejército insurgente, y sobre todo, el barretero de la mina de Mellado, Juan José Martínez, alias "El Pípila", que con su osadía logró quemar la puerta del baluarte y propiciar el triunfo de Hidalgo y sus huestes.

En 1811 llegaron a esta ciudad las cabezas de Hidalgo, Allende, Aldama y Jiménez, las que fueron colgadas en jaulas en los cuatro ángulos de la Alhóndiga, permaneciendo allí hasta 1821, donde aún se encuentran las cuatro escarpias que soportaron las jaulas.

El Museo Regional fue creado en los albores de la década de 1950. Tiene, entre sus múltiples funciones la tarea de investigar, conservar, rescatar y difundir los procesos históricos y el patrimonio cultural de Guanajuato. Así pues, sus salas ofrecen al visitante colecciones de arqueología, historia, arte y etnografía, que forman en su conjunto un panorama muy completo del Estado.

Sala de la Colonia

Sala de la Reforma

Museo-Casa Diego Rivera

Hablar de este artista mexicano, es hablar de toda una época y de una posición ideológica, pero sobre todo, de un genio de la plástica mundial de nuestro siglo. Para orgullo de los mexicanos, Diego Rivera nació en la ciudad de Guanajuato.

"Mis recuerdos de infancia -dice Diego- son, sobre todo, visuales. Se parecen a fotografías de mi vida, de tiempo en tiempo, y sin conexión inmediata unas con otras", declaró el muralista a su biógrafo de infancia Leah Brenner. Con ello se puede comenzar a esclarecer el origen de nuestro pintor y gracias a los testimonios de su hija, Guadalupe Rivera Marín, se pueden verificar datos que sobre sus antepasados se tenían, su hija aclara "Mi padre lo inventaba todo, todos los días".[12]

Al contraer matrimonio la pareja Rivera Barrientos, padres del pintor, habitaron en la planta alta de la casa número 80 de la calle de Pocitos, donde hoy se encuentra el museo. Allí vivió primero la suegra materna y después la tía Cesárea y la tía abuela doña Vicenta, la querida tía Totota del pintor Diego Rivera. La familia tenía un servicio modesto para la época: el mozo, un caballerango y Martha, la antigua sirvienta.

"El miércoles 8 de diciembre de 1886, nacieron los gemelos Carlos María y Diego María Rivera Barrientos"[13]. El parto se tornó difícil, hasta el grado que dieron por muerta a la señora Pilar por unas horas. Diego María Rivera

Barrientos y su hermano gemelo fueron bautizados en el templo de Nuestra Señora de Guanajuato. Al año y medio de haber nacido el gemelo del pintor murió por una razón no determinada.

"A los dos años de edad (...) yo era delgado y padecía raquitismo. Mi salud era tan débil que el doctor aconsejó que se me enviaran al campo a vivir una vida saludable, al aire libre, para evitar que muriera como mi hermano. Por esta razón, mi padre me entregó a Antonia, mi nana india, a quien desde entonces quise más que a mi propia madre..."[14]. Cinco años más tarde nacería su hermana María.

La posición política y el anticlericalismo del padre obligó a la familia dejar el terruño. "... ya nos había hecho de un mal nombre en la ciudad. Fuimos sometidos a persecuciones mezquinas. Mi madre fue asustada por frecuentes escándalos y manifestaciones callejeras. Un día se llenó de pánico, vendió todo, salvo unas cuantas pertenencias personales, y se fue con mi hermana y conmigo a la ciudad de México. No llegaba yo a los siete años en ese tiempo. Cuando mi padre regresó a la casa de un viaje de inspección quedó en cierto modo sorprendido. Sin embargo, pronto supo por los vecinos adónde habíamos ido y nos siguió de buen grado".

De raíces eminentemente guanajuatenses, Diego Rivera tiene grandes pasajes sobre su infancia en las diversas biografías que se han hecho sobre su persona.

El Museo-Casa Diego Rivera conserva lo que son las fuentes primarias para el estudio del gran pintor, asimismo cuenta con el acervo pictórico de sus inicios, además de fotografías de infancia y juventud, y documentos biográficos históricos.

Entre la obra que se puede admirar en el recinto podemos hacer mención la de su primera etapa. Dibujos en lápiz de 1890 a 1900, por ejemplo. Obra que realizó en los albores del siglo como *La era*; lienzos creados durante su primera estancia europea, cuando conoce a Angelina Beloff, como *Berguinoge de Brujas*, *La Fragua*; el retrato que le hiciera Leopoldo Gottlieb en 1912; *Montparnasse* desde el estudio de Rivera en París, conocido como *Paisaje de París* de 1913; *Árbol*, acuarela a lápiz que creó en este mismo año; el retrato de su hija Marika Rivera y el retrato que le hiciera a David Alfaro Siqueiros en 1921; fotografías del padre de Frida Kahlo y documentos iconográficos muy interesantes sobre nuestro muralista.

El museo fue inaugurado en mayo de 1975 y en la planta alta del edificio está montada la colección de pintura *Marte R. Gómez*, gran impulsor y conocedor de la pintura mexicana del Siglo XX, y valioso coleccionista.

La casa con el número 80 de la calle de Pocitos tiene una fachada neoclásica y está ubicada en la zona central de la ciudad de Guanajuato y su arquitectura se asemeja a la de muchas otras que fueron construidas en la época de 1864.

El museo destaca dentro del homogéneo conjunto de la calle. El proyecto de restauración buscó, esencialmente, mantener la estructura original del inmueble, que consta de tres cuerpos. Diego Rivera nació y vivió en la planta baja de la construcción.

Iglesia de Lequeltio
Piedra vieja y flores nuevas, 1907.
Autor: Diego Rivera

Museo-Casa del Pueblo

En nuestro capítulo II, en el tema Hospitales, abordamos ampliamente la historia de lo que fue el primer asentamiento tarasco en el Siglo XVII, en la región de Guanajuato. La casa que actualmente alberga la Casa del Museo del Pueblo de Guanajuato forma parte de ese legado histórico. Fue erigida en el Siglo XVII y con el tiempo pasó a ser uno de los espacios de la extensa propiedad de los multicitados marqueses de Rayas, propietarios del Real de Santa Fe, sitio que se amplió al unirse con el de Tepetapa.

El museo tiene como finalidad conservar, promocionar, difundir y alentar la cultura mexicana, en general, y la guanajuatense, en particular. Enaltecer el arte mexicano en su interior, y propiciar la libertad de expresión artística y desarrollar vínculos con la población en este sentido.

Por resolución gubernativa, la casa fue expropiada y declarada museo y centro cultural en 1979, inaugurándose el 21 de septiembre de ese año. Este acto se llevó a cabo para dar a conocer la colección de obras de los Siglos XVIII y XIX donada por los pintores José Chávez Morado y Olga Costa.

La museografía está expresada en varias salas: una alberga la exposición permanente de la obra donada por Chávez Morado y Olga Costa; la sala *Raíces*, que está dedicada a la explicación de los inicios y evolución del arte mexicano, desde la época pre-cortesiana hasta nuestros días. Otra más que contiene 11 telas del talento de Guanajuato, Hermenegildo Bustos.

Hermenegildo Bustos nació y murió en Purísima del Rincón en Guanajuato (1831-1907). Así como es importante Diego Rivera en la Historia del Arte Universal, Hermenegildo Bustos también ha sido revalorado y considerado como un gran pintor del Siglo XIX de nuestras raíces.

Él fue nevero de oficio, se cuenta que recogía la nieve que se posaba en las pencas de los magueyes durante el invierno, "...la enterraba en un pozo profundo, cubierto de paja, y la vendía en el verano, añadiéndole sabores de frutas. En su tiempo libre pintaba y siempre firmó como 'aficionado'; sin embargo, se sabe que estudió seis meses en León al lado de Juan N. Herrera"[15]. Este pintor anónimo y popular fue descubierto por Francisco Orozco Muñoz, quien pudo reunir óleos sobre láminas y telas de pequeño formato.

Hermenegildo Bustos pintó en el templo parroquial de su pueblo natal *El nacimiento de Cristo*, *Jesús ante Pilato*, *La última cena* y *El purgatorio;* realizó bellísimos retablos y bodegones. No obstante, Bustos figura entre los grandes de la plástica mexicana por sus retratos, "llenos de carácter, de fuerza, de mexicanidad, hasta hacer de cada uno de ellos pequeñas grandes obras maestras", palabras de don Fernando Gamboa. Hermenegildo Bustos es uno de los primeros pintores excepcionales que expresaron al pueblo mexicano del Siglo XIX.

Y volviendo a nuestro museo, restan dos salas que están dedicadas a exposiciones temporales. También, en su interior, hay una capilla familiar, en el corazón de la finca y es el núcleo estético del recinto. Ésta se encuentra decorada con los murales al fresco del maestro José Chávez Morado: tres de ellos ocupan los tres lados del presbiterio y están pintados sobre parrillas de hierro. La capilla familiar es un espacio cultural de gran valor para presentar las manifestaciones artísticas guanajuatenses.

También, en el interior de la casa, hay un auditorio nombrado *Olga Costa*, en homenaje a esta magnífica pintora de origen europeo y mexicana por convicción.

San Miguel Arcángel (Anónimo). Siglo XIX

La Familia
Obra de Hermenegildo Bustos

La casa en donde se ubica el museo se caracteriza por su fortaleza, y su portada está coronada por una balaustrada; en el interior hay un patio enlosado, a cuya izquierda una escalera bien diseñada conduce a un corredor a donde desembocan las habitaciones.

Una de las salas del corredor comunica al sitio donde estuvo la capilla, cuya portada fue construida por el arquitecto Felipe de Ureña en 1776. La capilla es el centro cultural del museo. Ésta tiene portada churrigueresca y su entrada es un arco de medio punto en medio de dos estípites que sostienen la cornisa quebrada, en el centro de la cual se encontraba el escudo familiar. En el segundo cuerpo destaca una ventana poligonal sobre la puerta de acceso.

La capilla tenía en su interior un altar dorado del mismo estilo churrigueresco que la fachada, así como varias imágenes religiosas, que ya no existen; entre ellas un bello retablo del mismo estilo que fue vendido en la década de 1920 y se presupone que se encuentra en Riverside, California, en Estados Unidos. Este monumento virreinal fue saqueado y mutilado en el siglo pasado ya que el inmueble fue fraccionado y adquirido por varios particulares.

Las puertas de acceso a esta capilla, así como las de la entrada de la casa, son de un fino estilo barroco y están talladas en madera de sabino. Las que dan al exterior, tienen chapetones de hueso y bronce, y las de la capilla muestran el hueco en donde se extrajeron estos chapetones.

El piso de la capilla es el original y está compuesto por losas de barro y azulejos blanco y azules que le dan un sabor provinciano y alegre al recinto.

Museo
Iconográfico del Quijote

E ste museo tiene una razón de ser: don Quijote de la Mancha. Personaje gestado en la novela de Miguel de Cervantes Saavedra. Don Quijote representa en el inconsciente colectivo la imagen romántica, idílica y generosa del ser humano. Tan fascinante personaje ha sido acompañado de su fiel escudero Sancho Panza y ambas personalidades han motivado la creación plástica de muchos artistas universales, como Daumier, Picasso, Dalí, Posada. Este personaje ha sido interpretado en volumen y sobre el lienzo, cabalgando entre los famosos molinos de viento. El afán por reunir todas estas maravillosas obras de arte llevó a fundar este peculiar museo en la ciudad de Guanajuato.

El renombrado hombre de la publicidad, don Eulalio Ferrer, donó -en agradecimiento por el acogimiento que nuestro país le dio durante el exilio, cuando vino de España- el acervo del Museo Iconográfico del Quijote, al pueblo de México y, especialmente, a los guanajuatenses. La formalización del

El Quijote de la Mancha
Leonardo Nierman

Obra de Ramón Vázquez

convenio con el gobierno del Estado se llevó a cabo el 16 de octubre de 1987, un mes después fue inaugurado ante la presencia del presidente de México, Miguel de la Madrid Hurtado y del presidente de España, Felipe González.

A través de los años, don Eulalio Ferrer ha continuado donando piezas, lo mismo que varios artistas. Ahora se pueden disfrutar obras de diferentes estilos y técnicas como: Pedro Coronel, Antonio Rodríguez Luna, Carlos Mérida, Rafael Coronel, Eduardo Pissano, José Guadalupe Posada, Francisco Capdevilla, Alberto Gironella, Alfredo Salce, José Chávez Morado, Raúl Anguiano, Benito Messeguer, Francisco Icaza, Francisco Corzas, Jesús Reyes, José Luis Cuevas, Salvador Dalí, entre muchos otros artistas plásticos de origen nacional y del exterior.

El museo no es un ámbito estático sino al contrario, éste se encuentra permanentemente en dinamismo. En sus instalaciones se realiza cada año una temporada de ópera; se imparten talleres de pintura a niños, jóvenes y adultos.

Cabe señalar que quien da estos talleres es el talentoso arquitecto y ceramista Jesús Hernández Martínez "Capelo". Además, en su interior, se ha formado un grupo de teatro y, fundamentalmente, es la institución que organiza año con año el Coloquio Cervantino Internacional.

Obra de Arnold Belkin

Museo Olga Costa José Chávez Morado

José Chávez Morado, artista mexicano, de sólidas convicciones sociales, culturales y artísticas, nació en la ciudad de Silao, Guanajuato, el 4 de enero de 1909. Sus padres fueron José Ignacio Chávez Montes y Luz Morado Cabrera. El ambiente familiar en donde este niño se crió reflejaba la tradición liberal. Y es así, como a principio de siglo, él acudió, por primera vez, a tomar clases particulares de enseñanza a párvulos; más tarde entró a un albergue de huérfanos de guerra fundado por un sacerdote de la congregación de Josefinos, don José Natividad Martínez, el "niño Nati", como lo recuerdan cariñosamente los silaoenses. En ese sitio este gran muralista guanajuatense terminó la educación primaria.

No cabe duda que el maestro Chávez Morado agradece en suma estas primeras enseñanzas, sin embargo, él siempre aclaró que su impulso creativo vino del pueblo y de la calle misma; de la religiosidad popular, de las supersticiones, y de los elementos autóctonos de la región de El Bajío.

En 1925, a los 16 años, se va a los Estados Unidos, como bracero. Vive en California, después en Canadá y en Alaska. En el norte del continente es donde realmente encuentra su vocación, comienza su afición por el dibujo

y supo del movimiento del muralismo mexicano. En 1930 regresa a Guanajuato. En ese periodo, su padre lo induce a las labores del comercio y le puso una tienda. Siendo abarrotero, realiza algunos dibujos interesantes de los vecinos del lugar.

En 1935 contrae matrimonio con Olga Kostakowsky, proveniente de una familia de inmigrantes de Odessa. Olga nació en Leipzig en 1913, posteriormente se inscribe a la Escuela Nacional de Artes Plásticas y toma clases con el maestro Carlos Mérida; casi diez años después se casa con José Chávez Morado. "El ángel blanco de la pintura mexicana", como la llamaba el maestro Mérida, pintó un sinfín de paisajes en y de Guanajuato, y es así como lo recuerda su querido cuñado, Luis Cardoza y Aragón. "Olga Costa y José Chávez Morado se marcharon a Guanajuato en 1954: Chávez Morado a pintar el mural al

fresco en la escalera de honor de la Alhóndiga de Granaditas y Olga Costa inicia sus flores y paisajes guanajuatenses. Es admirable colorista."[16] Y, en 1966, Olga y José llegan a fundar su hogar al barrio La Pastita, en la ciudad de Guanajuato. En 1975 la pareja decide donar al pueblo de Guanajuato su colección de arte prehispánico, colonial, popular y moderno. Y se funda el Museo del Pueblo.

El museo que lleva el nombre de ambos pintores se encuentra en la noria de la antigua hacienda de Guadalupe. Así como ellos vivieron en ella, quedó el recinto cultural. Cuenta con los objetos y obras de arte que coleccionaron Olga y José Chávez Morado.

Es indispensable recordarlos como una pareja de ímpetu artístico y social; como dos individuos que dejaron su mejor tiempo, sus obras y sus colecciones en tierras guanajuatenses.

Guanajuato
Patrimonio de la Humanidad

Guanajuato Patrimonio de la Humanidad es una Asociación Civil legalmente constituida, dedicada a la restauración, conservación y difusión del Patrimonio Cultural de Guanajuato. Ha obtenido cifras de restauración que son ejemplo en el país por la calidad y cantidad de las obras intervenidas. Tal es el caso de las 250 pinturas virreinales que se han rescatado de la degradación, entre las que destacan importantes piezas firmadas por Cristóbal de Villalpando, Luis Juárez, José de Ibarra, Nicolás Rodríguez, Miguel Cabrera y Juan Patricio Morlete Ruiz; todas ellas conservadas en los templos más importantes de Guanajuato y en la colección de su Universidad.

En el rubro de la conservación arquitectónica destacan por su importancia la restauración integral del Templo de San Diego, así como la creación de la Pinacoteca del Templo de La Compañía y su colección pictórica. De la misma manera, se han rescatado cuatro órganos tubulares de la época virreinal de los templos de San Diego, Mellado, la Compañía y Basílica Colegiata. La unión entre la Sociedad Civil –comprometida con su herencia histórica– y el Gobierno del Estado, que muestra su preocupación por la conservación del Patrimonio Cultural en peligro de desaparecer, se refleja no sólo en una simple conservación de las piezas, sino que además representa un esfuerzo por conservar nuestra identidad cultural.

Municipios

San Miguel de Allende

Dolores Hidalgo

Salamanca

Irapuato

Yuriria

Celaya

León

Dolores Hidalgo

Actualmente Dolores Hidalgo es un municipio vigoroso, históricamente es la cuna de nuestra independencia. La noche del 15 de septiembre, el cura Miguel Hidalgo y Costilla, dio allí el grito de independencia. En esta ciudad también vio la luz por primera vez el héroe nacional Mariano Abasolo y, un par de siglos después, Dolores Hidalgo vería nacer a un gran artista mexicano, José Alfredo Jiménez. El sentimiento nacional ha sido vertido a lo largo de su historia, no cabe duda.

Su historia precortesiana es semejante a la del resto del estado de Guanajuato. Sus inicios se remontan a la edificación de la Hacienda de la Erre, fundada por el virrey marqués de Montescarlos para la cría de ganado. A su alrededor comenzó a formarse una villa pintoresca y se llevó a cabo la traza de la ciudad.

Al final del Siglo XVII el cura Hidalgo ya había fundado varios talleres como el de alfarería, carpintería, un telar y desarrolló el cultivo de la vid. La actividad de la alfarería se incrementó de tal forma que actualmente se encuentran establecidos dos mil talleres en la cabecera municipal. Además, Dolores Hidalgo, tiene como cultivos básicos el maíz y el frijol, el trigo, el ajo, la cebolla, el jitomate y diversas especies frutales. Pero fundamentalmente se cultiva el chile verde, el cual es enviado a distintos puntos de la República Mexicana.

Parroquia de Nuestra Señora de Dolores

La edificación de este edificio representativo fue auspiciada por el connotado cura don Álvaro de Osio y Ocampo. Su erección comenzó el 2 de febrero de 1712 y se concluyó en 1778.

Su portada es del típico estilo churrigueresco de la época, y manifiesta en sus alegorías la muerte de Jesús en la cruz y a la virgen María como La Dolorosa, que es la advocación de la parroquia. En su interior se conservan aún, por ambos lados del crucero, dos magníficos retablos dedicados a la virgen María, el de la izquierda es de estilo churrigueresco y el de la derecha, es totalmente barroco. Se presupone que el altar mayor era del mismo estilo, que fue destrozado con el tiempo, y reelaborado en 1871.

Desde el atrio y la puerta principal de este templo, el cura Hidalgo arengó al pueblo de Dolores a lanzarse a luchar por la independencia nacional. Por ello este monumento histórico, además de su belleza cuenta con el peso de la valoración nacional.

La Saleta

Este templo tiene una imponente fachada grecorromana, a pesar de que la edificación es bastante ecléctica, ya que se mezclan varios estilos en su arquitectura.

En su interior cuenta con obra realizada con la técnica al fresco de don Pedro Ramírez. Esta edificación se terminó de construir en el año de 1896. Es muy importante el valor artístico de esta obra monumental ya que contiene los murales de don Pedro y su estilo, como dijimos en el párrafo anterior, es *sui géneris*.

Miguel Hidalgo y Costilla
Autor: J. Obregón. 1889

Casa de Hidalgo o Casa del Diezmo

La Casa del Diezmo fue construida en el Siglo XVIII, hacia el año de 1779, por el cura don Salvador José Fajardo; y, en 1804 el cura Hidalgo va a vivir a su interior. Cuando Calleja tomó la plaza de Dolores mandó saquear este edificio y la convirtió en cuartel. Posteriormente fue ocupada por el cura don José María Cos, que hizo de ella su centro de operaciones patrióticas.

Casa del Subdelegado
o
Casa de Visitas

Esta fuerte edificación fue realizada por órdenes de don Juan Mercado y terminada el 4 de abril de 1786. En su portada hay varios arcos que le dan sobriedad y elegancia. Esta famosa casa es en donde, actualmente, son hospedados los visitantes distinguidos del Estado.

Casa de Mariano Abasolo
hoy Presidencia Municipal

Esta casa que vio nacer al prócer de la patria estuvo abandonada por mucho tiempo, hasta que Manuel Abasolo la reconstruyó e hizo un teatro en su parte posterior, ya que la casa daba hasta la calle México. Esta casa, después de haber sido teatro, fue arruinándose hasta que, en algún momento del tiempo, se proyectó hacer un jardín y después hospedó el Frontón Municipal.

Durante el porfiriato, don Francisco González Caballero, adquirió esta casa para hacerla sede de los poderes del Municipio en 1906. Ya en este siglo, en 1940, se le hacen grandes remodelaciones en la planta alta y se adosan los pórticos de la portada. Aún en 1960 le hacen varios cambios importantes, que son los que se encuentran en la actualidad.

Irapuato

Esta productiva municipalidad se localiza al
norte, entre Salamanca y Silao; al sur
colinda con los municipios de Abasolo y Pueblo
Nuevo y, al este, con Salamanca. El sitio se
encuentra enclavado en lo que eran los llanos de
los "salvajes", por lo tanto, la historia prehispá-
nica del ayuntamiento no difiere casi en nada
con el resto de la entidad federativa, a excepción
de que aquí llegaron los michoacanos y es por
ello que su nombre tiene raíces purépechas.
Irapuato proviene de estos vocablos indígenas:
"*Irap*", que significa cerro redondo; "*Hua*", que
emerge, y, "*to*", lugar, lo que da el nombre de
"cerro que emerge en la llanura".

En 30 de abril de 1556, durante el virreinato de don Luis de Velasco, se otorgó el permiso de poblar la tierra de Irapuato, y el regidor
o encomendero fue Francisco Hernández. Dicha
fundación tenía como objeto cultivar la tierra
para el ganado mayor, es decir, una ranchería
colonial. Durante esta época como villorrio, cabe
destacar que se fundó la primera colonia de individuos de color, que venían en calidad de
esclavos, desde África.

En esta zona, llamada el gran Bajío, se
otorgaron grandes cantidades de tierra para
ganado a españoles que vinieron para poblar la
zona, entre ellos destacan Pedro González y
Jerónimo Jiralde.

En 1589, el territorio es nombrado
Congregación de Irapuato, que ya formaba, para
aquel año una comunidad heterogénea. Desde el
Siglo XVI Irapuato fue uno de los proveedores
fundamentales de la población minera de la ciudad de Guanajuato, de aquí salían legumbres,

frutas, carnes y cuero. Ya para el siglo siguiente se habían fundado dos hospitales, el de San José y el de Nuestra Señora de la Misericordia, en los que se atendían a las comunidades otomíes y purépechas, y ya se habían aposentado definitivamente en estas tierras los ciudadanos ibéricos. "... irán asentándose en nuestras tierras y creando la gran red de haciendas y obras de riego: presas, bordos y canales en favor de sus campos, que serán la base del progreso y despegue de un Irapuato eminentemente agrícola"[17].

La evangelización de la época se fortaleció enormemente a instancia de la corona española. Es por este entonces que se genera la devoción, en Irapuato, por la Virgen de la Soledad, cuya imagen se venera en el templo que lleva su nombre. Los orígenes de la imagen se desconocen, sólo se sabe que alrededor del templo se construyeron otras capillas para catequizar y, tiempo después, en Irapuato, se fundó un Comisariato de la Santa Inquisición. Hecho que ratifica la importancia que tenía la congregación irapuatense.

El Hospitalito

Dicho monumento histórico fue erigido a la advocación de la madre de Dios en la de Nuestra Señora de la Misericordia, y se construyó en los terrenos de lo que era la Hacienda de la Virgen. Su construcción fue auspiciada por una pareja de tarascos llamados Pedro Calderón y María Ramírez. Gracias a ellos, hoy, se puede disfrutar de la belleza de esta edificación.

San Francisco

Durante la prosperidad minera, en el Siglo XVIII, se erigieron los grandes conjuntos franciscanos y el templo de Nuestra Señora de la Soledad. Época en la que sobresale el estilo barroco.

Durante este periodo destaca la presencia de don Ramón Barreto de Tábora, quien fundara el colegio para niños durante este siglo. Él fue fundador del convento de San Francisco, y se sabe que vivió en esta tierra toda su existencia. El cura donó sus pertenencias y propiedades para que la escuela funcionara. Además, el religioso manifestó, en una de las cláusulas de su testamento, que

también se fundara un colegio de niñas "para que estas vivan más libres de los tropiezos del mundo y sean mejor instruidas y dirigidas en sus oficios y en el camino de la perfección, quiero que se funde un Beaterío o Colegio (...) declaro que en dicho colegio han de entrar todo tipo de niñas..."

Es así como este religioso abre las puertas a la educación femenina sin importar la clase social o su proveniencia. Dicho colegio se fundó con el nombre de Colegio de Enseñanza de María. Actualmente alberga las oficinas de la Presidencia Municipal de Irapuato.

León

Desde el siglo pasado a esta ciudad se le nombró "Ciudad del Refugio", pero siglos antes y, sobre todo, durante la hispanización dio acogida a varios señores del continente europeo. Uno de sus prominentes fundadores es el navarro don Juan de Jasso, cercano a Hernán Cortés. Después de varias aventuras, triunfos y éxitos don Juan decide solicitar en 1545, mercedes de tierras en el Arco Chichimeca. Él ya había venido al área años antes y le había interesado probar fortuna en ella, tan bueno fue su olfato que ocho años después descubrió minas en Guanajuato.

Hacia finales de la década de 1550, le otorgan a su merced la Estancia de Señora, lo que sería, más tarde, la Villa de León de la Nueva España. El apelativo de señora se debe a que sus tierras eran bañadas por el río de Señora o de Nuestra Señora, nombre que permaneció. De acuerdo a don Mariano González Leal y a un testimonio de la época "...el dicho Juan de Jasso tenía los más de sus ganados en las dichas estancias, y (...) solían herrar de dos a tres mil becerros cada año, y de cuatrocientas a quinientas cabezas de yeguas, según era público y notorio..."

Ya fallecido don Juan, el 12 de diciembre de 1575, habría de fundarse, a instancia del cuarto virrey, Enríquez de Alamanza, la villa "...según fuese el número de sus primeros vecinos y moradores. Que pudiera servir de fortín para la guerra chichimeca y para proteger el paso de las conductas por el camino entre los minerales de Zacatecas y Guanajuato"[18]. El nombre de la villa se debe a que el virrey en la Nueva España era oriundo de León, España.

Había entre los fundadores de la incipiente villa alrededor de 50 personas, entre ellos el capitán Juan Alonso de Torres, quien dio cobijo y auspició al padre Espino, al padre Cuenca y al padre Soria; Pedro Gómez, mayordomo de la

primera iglesia; el destacado capitán Juan Gordillo, y Antonio Rodríguez de Lugo, quien trajo a trabajar a su estancia muchas personas de origen africano, por lo que hasta la fecha esa edificación lleva el mote "de negros". Así, entre muchos otros fun-

dadores de León, hicieron de estas tierras una noble y bella ciudad. El acta de fundación fue levantada el 20 de enero de 1576, día de San Sebastián y se declaraba que constaba de 24 manzanas, en torno a una plaza de 360 pies en cuadro.

Arco de la Calzada de León

En 1893 se llevaría a cabo la conmemoración del 83 aniversario de la Revolución de Independencia, para tal efecto, el ayuntamiento encomendó al ingeniero Pedro Tejada León la realización de un arco conmemorativo, a la entrada del paseo de la Calzada de León. En sus inicios el arco fue hecho de madera, un mes después se le comenzó a adosar la mampostería; esta obra sufrió un retraso de casi tres años: en junio de 1896 se inauguró formalmente, y fue nombrado Arco de la Paz.

Teatro Doblado

En diciembre de 1869, nació la iniciativa de erigir tan bello monumento, a la memoria del General don Manuel Doblado. La realización de la magna obra fue enco-

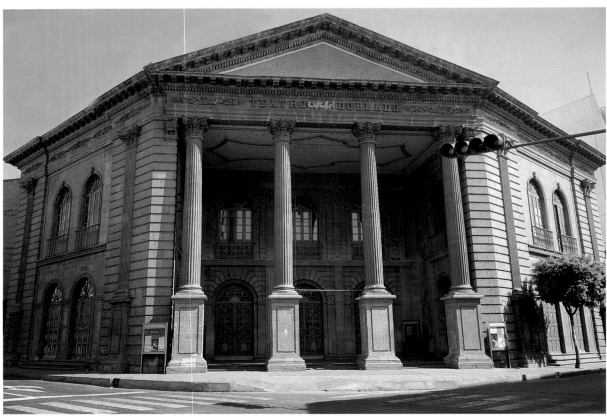

mendada al arquitecto José Noriega, quien "logró la construcción de un teatro hermoso y cómodo, de inmejorable acústica, que llegó a ser célebre en el país: hoy, desaparecido su interior, podemos contemplar todavía la hermosa fachada original, que por fortuna se salvó –casi milagrosamente– de ser destruida en el periodo culturalmente decadente que León atravesó en las décadas centrales de este siglo"[19]. El 15 de septiembre de 1880, a las ocho de la noche, el Teatro Doblado abrió sus puertas. Aquella noche cantó la leonesa, doña Virginia Galván, entre otros muchos intérpretes de la localidad. El edificio fue remodelado hacia mediados del Siglo XX.

Plaza de los Fundadores

Lo que es hoy esta bella plaza se inauguró el 15 de septiembre de 1866 con el nombre de El Parián o Mercado Hidalgo. Su construcción se debió al empeño de don Ildefonso Portilla. Ese año, también, se colocó el primer reloj que tuvo la inconclusa Catedral. El señor Portilla era proveniente de Jalisco, llegó a la mitad de ese siglo a la localidad y, más tarde, fundó la importante fábrica de hilados y tejidos La Americana y trajo a la ciudad de León, por primera vez, la electricidad.

Casa
de las Monas

E ste bello edificio, que fue estancia, comenzó a ser construido en 1870 por el matrimonio de don Manuel Guedea y Caraza y doña Dolores Portillo y Martín del Campo. Esta finca le fue heredada a doña Dolores por su padre, don Ildefonso, y estaba ubicada en la antigua calle de Pachecos.

La pareja reedificó la finca, colocándole dos pisos, con cariátides en la portada, y es por ello que lleva dicho nombre. Doce años después, don Manuel se asoció con el señor Pölhs y la Casa de las Monas albergó lo que sería la tienda que llevaba ambos apellidos. En su interior se vendían abarrotes y ropa; se llevaban a cabo trámites bancarios y, entre otras cosas, se vendían máquinas de coser Singer. Más tarde, durante la Revolución, llegaron a vivir a la casa, los villistas revolucionarios.

Templo Expiatorio

San Miguel de Allende

Es incuestionable la importancia de esta pintoresca ciudad guanajuatense. Al sitio viajan nacionales y extranjeros para disfrutar de la quietud provinciana y de sus bellos monumentos históricos; además de degustar una gastronomía lugareña e internacional de primera; o pasear por sus verdes alrededores y caminar por sus bellas calles. San Miguel de Allende tiene una larga historia; fundamentalmente, es preciso señalar que aquí nació uno de nuestros próceres de la Independencia, Ignacio Allende y Unzaga.

El área estaba enclavada en el famoso Arco Chichimeca y fue poblada, en sus inicios, como otros municipios de Guanajuato, por indios otomíes, quienes lo bautizaron con el nombre de "*Itzcuinapan*", que en náhuatl significa "agua de perros".

El nombre de San Miguel proviene de la hispanización y es en honor del franciscano fray Juan de San Miguel, que con valentía llegó a la zona para evangelizar y pacificar a los chichimecas. Este lugar primigenio se localiza en San Miguel Viejo, al sudoeste del actual San Miguel de Allende. Esto, según fuentes y descrito por don Luis Felipe Nieto Gamiño, ocurrió en 1542, aunque don Luis aclara que el poblado fue fundado tres veces. Muy pocos años después, en 1552, fray Bernardo Cossin sustituyó a fray Juan de San Miguel y volvió a establecer otro asentamiento de indígenas en "El Chorro", ya que allí había suficiente agua para sobrevivir, producto de los manantiales.

Al comenzar la Edad de la Plata, la villa de San Miguel se vio afortunada y con la iniciativa de don Ángel de Villafañe, se le solicitó al virrey don Luis de Velasco la necesidad de fundar una población, hacer la traza y entregar a merced tierras de cultivo. Ello sucedió durante 1555. La fundación legal hispana se desarrolló alrededor de lo que es la Plaza de la Soledad, que se encuentra al noreste de la plaza principal de hoy en día. Este sitio tuvo importancia durante dos siglos, hasta que se cambió en 1739, en donde se encuentra la actual, la que visitan nacionales y extranjeros. Durante esta época la importancia del poblado se incrementó y es por ello que se le dio el nombre de San Miguel el Grande.

Cuando se inició la Revolución de Independencia, San Miguel el Grande era una localidad dedicada a la crianza de ganado mayor y menor. Allí se producía buena carne, y se exportaba la lana de sus borregos. De estas tierras salía el algodón para vestir a miles de mineros de Guanajuato y Zacatecas. Con el Siglo XVIII comienza el verdadero auge de la región, pero también existía el desencanto y necesidad de cambio de la población. Allí nació y creció el que era entonces capitán de los Dragones de la Reina, don Ignacio Allende y Unzaga. De todos conocidos los acontecimientos de la madrugada del 16 de septiembre de 1810, tres días después, en el salón de cabildos de San Miguel, se constituyó el primer ayuntamiento independiente de la corona española, presidido por Ignacio de Aldama.

Parroquia de San Miguel Arcángel

De acuerdo a textos de don Luis Felipe Nieto Gamiño, este templo fue erigido durante el Siglo XVI, para instalar el primer curato de esta

región, que estuvo a cargo de don Vasco de Quiroga. Sus dimensiones y su disposición fueron obsoletos y en 1682 se comenzó la edificación de otro nuevo con la anuencia y apoyo del obispo Juan Ortega y Montañez. Dicha encomienda se le otorgó al arquitecto Marco Antonio Sobrarías, quien siguió las normas del estilo barroco en boga.

Su forma es de cruz latina con capillas laterales, en cuyo crucero se desplantó una bóveda con tambor. La fachada está compuesta por una portada central ricamente decorada y una torre de dos cuerpos. De la portada destacaban la puerta, la ventana coral, el nicho y el frontón de tipo cortado.

En 1740, fue construida una torre de tres cuerpos que desentonaba con la primera, puesto que presentaba un estilo y proporciones distintas. En su interior se ubicó una de las imágenes más veneradas, la del Señor de la Conquista. Y, hasta la fecha, se puede apreciar el camarín de Señor Ecce Homo, que se encuentra ricamente decorado. Este camarín se le ha atribuido erróneamente al famosísimo arquitecto guanajuatense Francisco Eduardo Tresguerras.

En 1880 la torre parroquial cambió su fisonomía radicalmente. Esto se llevó a cabo a partir del 27 de octubre. Las torres primitivas fueron derribadas y en su lugar se desplantó una enorme torre de estilo gótico, que desentona con el resto de edificios que componen la plaza principal.

De la torre antigua sólo quedan algunos vestigios, que evidencian el tipo y forma de construcción, así como la manera en que se decoraba la cantería exterior, durante el XVII y XVIII. El constructor de la renovación fue don Zeferino Gutiérrez, y fue el creador del símbolo de la ciudad de San Miguel de Allende.

Instituto Allende

Esta casa solariega y majestuosa fue construida en 1735 por órdenes de su propietario el Señor de la Canal, don Manuel Tomás. La construcción tiene las características de una hacienda: altísimos muros y pequeñas ventanas, además una portada monumental que ostenta un nicho con la Virgen de Loreto. Su patio posee dimensiones placenteras y alberga una fuente neoclásica que, suponemos, fue construida dos siglos después. En el interior de su capilla se puede admirar obra de gran importancia de la época novohispana. Posteriormente, el talento del arquitecto Manuel Tolsá se vería expuesto al acondicionar tan bella edificación.

Actualmente el Instituto pertenece y es administrado por la Universidad de Guanajuato. Su fundador, Stirling Dickinson, llegó como turista en 1930 al poblado y se estableció en el edifico del Instituto en 1950. Este hombre fundó el Instituto con el objetivo de enseñar y difundir las Bellas Artes, sobre todo el arte pictórico, y fue director de la institución hasta 1987. El Instituto Allende ha traído a un sinfin de jóvenes de varias nacionalidades para ejercitarse en las artes, esto ha contribuido a que la importancia turística vaya en ascenso y la ciudad tenga un ambiente jovial y cosmopolita.

Fachada Templo de San Francisco

Santuario de Atotonilco

El Santuario de Atotonilco se edificó en la antigua hacienda de Ignacio García el 3 de mayo de 1740. Obra religiosa que ha formado parte importante de los patrones culturales del mestizo mexicano por más de 200 años. Propició el florecimiento de manifestaciones artísticas de gran relieve en el panorama del barroco. Su interior es dinámico y rico en decoración.

Esta localidad se encuentra a 12.5 k de la ciudad de San Miguel Allende y el templo ha sido declarado patrimonio nacional. Del santuario partió el padre de la patria, después de haber dado el grito de la Independencia, para proseguir con su campaña. Miguel Hidalgo y Costilla iba acompañado de Ignacio Allende, se cuenta que desde su interior tomó el estandarte de la virgen para seguir con la gesta.

Yuriria

Y uriria se ha destacado por sus encantos naturales, sobre todo por su laguna. A un lado de ella se construyó la primera obra hidráulica hecha por los ibéricos en la Nueva España. La laguna cuenta con varias islas que son realmente atractivas para el turismo nacional y del exterior.

Yuriria también se encontraba en zona de "salvajes" y posteriormente, como a otras localidades llegaron los tarascos, su nombre primigenio es el de Yuririapúndaro, dicho nombre se compone de los siguientes vocablos: "*I-uri-ir*" que significa sangre, y, "*púndaro*", lago. Dicha acepción se debe a que los cadáveres, después de las sangrientas batallas, eran arrojados a sus aguas. A el Valle de Yuriria se le nombró, en la antigüedad, "El país de las siete luminarias", porque está compuesto por siete cráteres-lagos.

De la población primeriza hispana no se tienen datos precisos, sin embargo, el agustino fray Diego de Chávez y Alvarado fue quien, en la década de 1560, acondicionó artificialmente la laguna de Yuriria. La erección del convento se realizó, aproximadamente, en 1550, cuando don fray Alonso de la Veracruz pidió la autorización al virrey en turno, don Antonio de Mendoza, para construir tres conventos: Cuitzeo, Yuririapúndaro y Huango.

El exconvento agustino de Yuriria es de estilo plateresco y parece una verdadera fortaleza europea del Siglo XVI. En su interior se pueden observar grandes cúpulas abovedadas, que enmarcan una serie de colecciones sobre arte prehispánico chupícuaras y de la época virreinal. El edificio está bellamente cuidado y es un monumento histórico de importancia nacional.

Celaya

Los historiadores de nuestra época se han encontrado con un grave atropello para llevar a cabo su labor de investigación. Los documentos del archivo de Celaya fueron quemados en 1856 durante la fuga de los presos que incendiaron la presidencia. Este desastre ha negado la posibilidad de tener acceso a las fuentes documentales de la historia de la localidad como el acta de fundación de la ciudad, relaciones religiosas para seguir los acontecimientos virreinales, el título de la ciudad, etcétera. Hacia 1951, al edificar la nueva presidencia municipal, el historiador don Rafael Zamarroni Arroyo rescató algunos hatos de documentos que estaban regados en el edificio, amén de que otros personajes han ido pergueñando documentos por diversos sitios.

Es importante hacer mención que los primeros individuos que poblaron esta noble ciudad fueron otomíes, y, como el resto de lo que ahora es la entidad federativa, también vivieron las intromisiones de los "salvajes" y fue pacificada por capitanes oriundos de nuestras tierras. Tiempo antes de que se designara como villa, "...fray Juan de San Miguel fundó una pequeña capilla en el poblado indígena de Nat-Tha-Hi, hoy barrio del Zapote, para evangelizar indígenas. Allí, también, se funda el pueblo de la Asunción y se venera, en sus inicios, a Cristo crucificado, como Señor del Zapote..."[20]. De Sande fue el encargado de realizar la traza de la ciudad a partir del mes de julio de 1571 y a partir de este hecho se dividieron las propiedades.

En las primeras décadas del siglo XVII le fue otorgada a Celaya el título de Noble y Leal Ciudad, después de haber finiquitado los adeudos que tenían la localidad con la corona, esto sucedió el 20 de octubre de 1655. Esta bella ciudad ha sido nombrada como "La Puerta de Oro del Bajío" por su actividad agropecuaria y ganadera. Pero también ha sido testigo de valerosas campañas nacionales como la ocurrida durante la Revolución, en 1915, entre las fuerzas del general Obregón y las de Pancho Villa, resultando vencedor el bando constitucionalista.

Templo de San Francisco

El inicio de la construcción de este templo ya fue referido en párrafos atrás. Éste era un templo sencillo, cambió hasta 1610, que se

destruyen los cuartos de adobe para edificar un colegio de religiosos. El 15 de octubre de 1624, el Papa Urbano VIII, da su autorización para que funcionara el colegio y, más tarde, sería la Real y Pontífica Universidad. En este siglo se destruye el antiguo templo para erigir el nuevo de San Francisco, comienza a construirse en febrero de 1683. Y no es sino hasta dos siglos después que el arquitecto Francisco Eduardo Tresguerras, nacido en Celaya, termina de erigir los bellos altares que ahora se disfrutan.

Templo del Carmen

Esta es la mayor obra del insigne celayense, arquitecto Francisco Eduardo Tresguerras. Este templo comenzó a erigirse el 4 de noviembre de 1802 y fue dedicado a Santa Teresa, el 13 de octubre de 1807.

Su portada mira al oriente y está compuesta de torre y pórtico, ambos forman una sola pieza. El templo tiene tres entradas. "Faltó una puerta al norte que no se pudo hacer debido a una pared del convento, que mutiló la fachada. La torre está compuesta por dos cuerpos, uno jónico y otro corintio y rematada por un capitel piramidal exornado de azulejos. El conjunto de este hermoso templo es de estilo neoclásico", esta es una descripción literal que ha hecho la señora doña Abigaíl Carreño de Maldonado.

Tresguerras logró darle alegría a la edificación, ya que entra mucha luz a su interior, a diferencia de otros monumentos históricos de la época. Dentro del templo se encuentran varias obras realizadas por el connotado celayense y en la sacristía se encuentra la obra de Nicolás Rodríguez Juárez, Triunfo de la Virgen.

Salamanca

E ste municipio es eminentemente industrial, en él se ha ubicado una de las refinerías más importantes de Petróleos Mexicanos (PEMEX); está ubicado al norte con Guanajuato; al noroeste con San Miguel de Allende y al este con Irapuato.

Sus pobladores, antes de la llegada de los conquistadores, eran otomíes. Ellos le dieron al lugar el nombre de "*Xidoo*", que significa "lugar de tepetates". Mucho más tarde y con la llegada desde lo que era en aquel entonces Irapuato, de don Bartolomé Sánchez Torrado se logra fundar la villa. Este acontecimiento se llevó a cabo el 1o. de enero de 1603. Este aventurero, del cual desconocemos su origen, salió en febrero de 1602, de la Estancia de Irapuato a la capital de la Nueva España para pedirle al virrey en turno, Gaspar Zúñiga y Acevedo, su anuencia para fundar la Villa de Salamanca. El nombre se debe a que el virrey había nacido en la ciudad del mismo nombre pero del otro lado del Atlántico. La solicitud fue hecha porque entre las congregaciones de Irapuato y de Yuririapúndaro (hoy Yuriria) existían poblados muy menores desperdigados, y es por ello que don Bartolomé solicita la fundación de otra congregación.

En 1895, siendo gobernador del estado de Guanajuato, Joaquín González Obregón, se le concedió por decreto la categoría de ciudad.

No es sino hasta mediados de este siglo que comienza la ebullición industrial del área. En 1950, se pone en funcionamiento la refinería Ingeniero Antonio M. Amor. Con este logro industrial Salamanca ha destacado por su producción de derivados del oro negro como, productos químicos, hielo, óxido de hierro, mezcla de hule y plásticos, vaselina, aceites y sulfanatos, oxígeno, nitrógeno, argón, anhídrido carbónico, pinturas, adhesivos, refacciones industriales, velas, brillantinas, entre otros productos.

Citas Bibliográficas

[1]WAYNE POWELL, Philip. *Capitán Mestizo: Miguel Caldera y la frontera norteña. La pacificación de los chichimecas (1548-1597)*. Fondo de Cultura Económica. 1980. México.

[2]FLORESCANO, Enrique e Isabel GIL SÁNCHEZ. *Historia General de México (La época de las reformas borbónicas y el crecimiento económico, 1750-1808)*. Tomo 2. El Colegio de México. 1976. México.

[3]VILLORO, Luis. *Historia General de México (La revolución de independencia)*. Tomo 2. El Colegio de México. 1976. México.

[4 Y 5]VÁZQUEZ, Josefina Zoraida. *Historia General de México (Los primeros tropiezos)*. Tomo 3. El Colegio de México. 1976. México.

[6]ULLOA, Berta. *Historia General de México (La lucha armada, 1911-1920)*. Tomo 4. El Colegio de México. 1976. México.

[7]LEÓN RÁBAGO, Diego. *Compilación Histórica de la Universidad de Guanajuato. Los Tesoros de la Universidad.* Centro de Investigaciones Humanísticas. Universidad de Guanajuato. Guanajuato, México. 1997. p. 25.

[8]LEÓN RÁBAGO, Diego. *Compilación Histórica de la Universidad de Guanajuato. Los Tesoros de la Universidad.* Centro de Investigaciones Humanísticas. Universidad de Guanajuato. Guanajuato, México. 1997. p. 25.

[9]*Op. Cit.*

[10]Universidad de Guanajuato. *Agenda Conmemorativa, a 265 años de su fundación.* Guanajuato, México. 1998.

[11]Universidad de Guanajuato. *45 Aniversario del Teatro Universitario.* Guanajuato, México. 1997. p. 11.

[12]*Encuentros con Diego Rivera.* Coordinación de Guadalupe Rivera Marín, Cronología de Manuel Reyero, Investigación, iconografía y montaje de Luis Cortés Bargalló, Carlos García-Tort, Eduardo Hurtado y Pablo Labastida. Siglo XXI Editores, Banco Nacional de Comercio Interior y El Colegio Nacional. México. 1993. p. 11.

[13]*Encuentros con Diego Rivera.* Coordinación de Guadalupe Rivera Marín, Cronología de Manuel Reyero, Investigación, iconografía y montaje de Luis Cortés Bargalló, Carlos García-Tort, Eduardo Hurtado y Pablo Labastida. Siglo XXI Editores, Banco Nacional de Comercio Interior y El Colegio Nacional. México. 1993. p. 17.

[14]*Encuentros con Diego Rivera.* Coordinación de Guadalupe Rivera Marín, Cronología de Manuel Reyero, Investigación, iconografía y montaje de Luis Cortés Bargalló, Carlos García-Tort, Eduardo Hurtado y Pablo Labastida. Siglo XXI Editores, Banco Nacional de Comercio Interior y El Colegio Nacional. México. 1993. p. 19.

[15]*Enciclopedia de México.* Tomo 2. José Rogelio Álvarez, director. Enciclopedia de México y Secretaría de Educación Pública. México, 1987. P.1096.

[16]CARDOZA Y ARAGON, Luis. *El Río. Novelas de Caballería.* Fondo de Cultura Económica. México. 1986. p. 705.

[17]MARTÍN RUIZ, Javier (Director del archivo histórico municipal). *Historia municipal de nosotros. Irapuatenses distinguidos.* 1a. parte. Número 4 y 5. Publicación trimestral. Archivo Histórico Municipal de Irapuato. Guanajuato, México. 1997. p. 9.

[18]GONZÁLEZ LEAL, Mariano. *León, Trayectoria y Destino.* Honorable Ayuntamiento de la Ciudad de León. Guanajuato, México. 1990. p. 5.

[19]GONZÁLEZ LEAL, Mariano. *León, Trayectoria y Destino.* Honorable Ayuntamiento de la Ciudad de León. Guanajuato, México. 1990. p. 176.

[20]CARREÑO DE MALDONADO, Abigaíl. *Imagen de Celaya.* 2a. Edición. Celaya, Guanajuato. México. 1992. p. 20.

Agradecimientos

Grupo Editorial Proyección de México agradece profundamente la ayuda que nos brindaron para la realización de este libro a las siguientes dependencias:

Gobierno del Estado de Guanajuato
Universidad de Guanajuato

Y muy especialmente queremos agradecer el invaluable apoyo del **Ing. Juan Rivas**, Presidente de Offset Multicolor, S.A. de C.V., y de Impresora Rivas, S.A. de C.V., por su extraordinario soporte técnico que hizo posible la magnífica realización de esta edición.

Asimismo, agradecemos también la valiosa colaboración de las siguientes personas:

Isauro Rionda Arreguín
Eduardo Castro Bucio
Lydia González de Sada
Luis Felipe Nieto
Sergio Vela
Mariano González Leal

COLABORACION FOTOGRAFICA

Héctor Hernández

pags: Portada – *Cerámica Capelo*
7, 12, 14-15, 21, 22-23, 25, 32, 36-37, 39, 42, 43, 49, 57, 62, 67, 68, 69, 89, 91, 92-93, 94-95, 96, 97, 98-99, 100, 101, 103, 105, 106, 109, 111, 114-115, 119, 120-121, 126-127, 141, 142-143, 144-145, 146-147, 149, 154, 162, 164-165, 166-167, 174, 175, 176-177, 178-179, 183, 194-195, 202, 203, 206, 207, 208, 209, 214, 219, 220-221, 224, 225, 223, 253

Guayo Eduardo Rangel

pags: 4-5, 6, 16-17, 18-19, 27, 28, 29, 35, 40-41, 46, 48, 51, 55, 56, 58, 59, 61, 63, 64, 65, 66, 71, 75, 77, 78, 79, 80-81, 83, 85, 87, 106, 107, 116-117, 122, 123, 124-125, 132-133, 134-135, 136-137, 138, 139, 148, 149, 152-153, 155, 156, 157, 161, 163, 168-169, 170-171, 187, 196, 197, 199, 204-205, 211, 212, 215, 217, 222, 226-227, 228, 229, 230, 231, 251

Javier Zamora – Rodolfo Méndez González

pags: 2-3, 47, 52-53, 70, 72, 73, 74, 82, 172-173, 234-235, 236, 243, 244, 248, 249, 250, 258, 259, 260, 261, 246-247

Julio Reza

pags: 13, 112, 113, 128, 129, 130, 131, 158, 159, 189, 192, 193, 237, 238, 239, 240-241, 242, 245, 254-255, 256, 257, 262, 263, 264, 265, 266, 267, 268-269

Este es el primer libro impreso en México en
los talleres de Offset Multicolor, S.A. de C.V.
con la tecnología Computadora a Lámina,
Calzada de la Viga 1332, Col. El Triunfo,
C.P. 09432, México, D.F.
Tel. 633 11 82